Das persönliche Geburtstagsbuch

26. September

Umschlagbild:
Theodore Gericault (1791–1824)
Heroische Landschaft mit Fischer

Herausgegeben von Martin Weltenburger
nach einer Idee von Christian Zentner

Autoren und Redaktion:
Hademar Bankhofer, Dr. Reinhard Barth,
Friedemann Bedürftig, Lieselotte Breuer,
Mathias Forster, Hansjürgen Jendral,
Thomas Poppe, Günter Pössiger,
Vera Roserus, Sabine Weilandt

Bildbeschaffung:
Redaktionsbüro Christian Zentner

Mit (SZ) gekennzeichnete Beiträge:
Mit freundlicher Genehmigung der Süddeutschen Zeitung.
Sollten in diesem Band Beiträge von noch geschützten Autoren und
Übersetzern aufgenommen worden sein, deren Quellen nicht nach-
gewiesen sind, so bitten wir die Besitzer dieser Rechte, sich mit dem Verlag
in Verbindung zu setzen.

VORWORT

So ein Geburtstag ist, wie man weiß, ein wahrlich herzerquickendes Ereignis. Es wird schon seit urdenklicher Zeit gefeiert: Das erste Geburtstagskind dürfte vermutlich Adam gewesen sein. Man kann mit gutem Gewissen annehmen, daß sich Adam spätestens an jenem Tag, da er erstaunt seine eigene Existenz zur Kenntnis nahm, ernsthafte Gedanken gemacht haben dürfte, wie er diese Weltpremiere feierlich begehen könnte – und seitdem betrachten wir Menschen die einmalige Tatsache, daß wir auf der Welt sind, alljährlich als freudigen Anlaß zu einem Fest.

Wie dem auch sei, man geht allgemein von der Annahme aus, daß so ein Geburtstag ein erfreulicher Feiertag ist (man könnte ihn auch als »Privat-Weihnachten« bezeichnen) und das, obwohl seit jeher alle Neugeborenen das Licht der Welt instinktiv mit angstvollem Geschrei zu begrüßen pflegen.

Was dem Geburtstag seinen besonderen Status verleiht, das ist seine unverwechselbare Exklusivität: Es gibt nämlich keinen wie immer gearteten Erdenbürger, der in der Lage ist, ein und denselben Geburtstag mehrmals zu feiern. Ausgenommen vielleicht Damen. Oder Herren. Und natürlich Politiker.

Demnach ist also ein Geburtstag ein ziemlich elastisches Ereignis, obwohl uns Mutter Natur in unmißverständlicher Weise an die dahinfließende Zeit gemahnt – mit Jahresringen sowohl an den Bäumen als auch unter unseren Augen.

Doch von diesen zwiespältigen Gaben der Natur abgesehen, gibt es noch weitere Indikatoren: Je höher die Zahl der absolvierten Geburtstage, desto höher die Stockwerke und länger die Nächte, desto älter unsere Freunde und jünger die Polizisten.

Wie dem auch sei, ich meinerseits möchte dem freundlichen Leser einen ebenso freundlichen Ratschlag geben: Egal, um den wievielten Geburtstag es sich handeln mag, man begehe ihn mit gebührendem Stolz! Wenn schon aus keinem anderen Grund, dann aus dem, daß es einem nichts nützt, nicht stolz zu sein.

Dazu allerdings empfiehlt es sich, daß der reifere Mensch nicht die Anzahl seiner Jahre herunterschwindelt. Im Gegenteil, er soll sie hochspielen. Genau das ist nämlich mein System: An meinem 50. Geburtstag tat ich kund, daß ich schon 57 sei, und alle überschlugen sich vor Begeisterung über meine körperliche Rüstigkeit und meinen junggebliebenen Geist. »Man käme nicht im Traum auf die Idee, daß du schon so alt bist«, sagten meine Geburtstagsgäste und klopften mir auf die Schulter, »niemand würde dir mehr geben als 52 bis 53 Jahre«.

Ich schmunzelte zufrieden in mich hinein. In Wahrheit war ich 48.

Ephraim Kishon

INHALT

9

Prominente Geburtstagskinder
Geboren am 26. September

Es geschah am 26. September
Ereignisse, die Geschichte machten

58
Chronik unseres Jahrhunderts
Welt- und Kulturgeschichtliches von 1900–1980

65
Prominente und Ereignisse
der Geschichte im Bild

73
Unterhaltsames zum 26. September

98
Das persönliche Horoskop
*Astrologische Charakterkunde
für die charmante und unentschlossene
Waage*

114
Die Geburtstagsfeier
Viele Anregungen und ein köstliches
Geburtstagsmenü

120
Glückwunschgeschichte
zum 26. September

123
Zitate und Lebensweisheiten

127
Die Heiligen des Tages
Geschichte und Legende

129
Persönlicher,
immerwährender Kalender

Prominente Geburtstagskinder

Geboren am 26. September

Hans David Ludwig Graf Yorck von Wartenburg (1759)

Leontine Fürstin von Radziwill (1811)

August von Heckel (1824)

Conrad Dietrich Magirus (1824)

Carl Duisberg (1861)

Bernhard Schmid (1872)

Kurt von Hammerstein-Equord (1878)

Thomas Stearns Eliot (1888)

Martin Heidegger (1889)

Paul VI. (1897)

George Gershwin (1898)

Vadim Glowna (1941)

Ingrid Mickler-Becker (1942)

Olivia Newton-John (1948)

Hans David Ludwig Graf Yorck von Wartenburg
(1759)

Preußischer Feldmarschall und Staatsmann

Kaum dreizehn Jahre alt, trat Yorck als Junker in die preußische Armee ein, wurde aber 1779 als Leutnant wegen Nichtbefolgung eines Befehls von Friedrich dem Großen entlassen und mit einjähriger Festungshaft bestraft. Er begab sich danach in holländische Dienste und kämpfte gegen die Engländer am Kap der Guten Hoffnung und auf Ceylon. Erst unter Friedrich Wilhelm II. kehrte Yorck in den preußischen Dienst zurück und wurde Kapitän in einem neuerrichteten Füsilierbataillon, wo er mit der jägermäßigen Ausbildung dieser Truppe große Erfolge aufweisen konnte. In dem verhängnisvollen Jahre 1806 führte er eine Brigade, die in der Doppel-

Hans David Ludwig Graf Yorck von Wartenburg

schlacht von Jena und Auerstädt nicht zum Kampfe kam, aber bei dem Rückzuge Blüchers den Elbübergang deckte, der erst nach dem Gefecht von Altenzaun, einer glänzenden Leistung der Yorckschen Jäger, unbehelligt

Unterschrift von
Hans David Ludwig Graf Yorck von Wartenburg

vor sich gehen konnte. Bei der Erstürmung von Lübeck wurde Yorck schwer verwundet und gefangengenommen. Nach seiner Auswechselung zum Generalmajor befördert, erhielt er das Kommando über die Truppen von Memel und Umgegend. Im Jahre 1810 zum Generalinspekteur der Jäger, Füsiliere und Husaren ernannt, sorgte er ganz besonders für deren Ausbildung in zerstreuter Gefechtsart und im kleinen Krieg. Im Feldzuge Napoleons gegen Rußland hatte Preußen ein Hilfskorps zu stellen, das General von Grawert und nach dessen Erkrankung Yorck befehligte. Das Korps erwies sich tapfer und drang siegreich bis an die Wälle von Riga vor. Als die Große Armee sich zurückziehen mußte, sollte es mit Macdonald, dem das preußische Kontingent unterstellt war, den Rückzug decken. Von dem russischen General Graf Wittgenstein aufgefordert, mit seinen Truppen zu ihm zu stoßen, tat Yorck dies nicht, sondern faßte auf eigne Verantwortung den Entschluß, sich von den Franzosen loszusagen und zunächst neutral zu bleiben. In der Poscheruner Mühle bei Tauroggen unterzeichnete er am

30. Dezember 1812 die denkwürdige Konvention mit dem russischen General Diebitsch. Der König, der sich im Machtbereich der französischen Gewalthaber befand, mußte formell den eigenmächtig handelnden General vom Kommando entheben. Doch gab dessen Auflehnung gegen die offizielle Politik den ersten Anstoß zur nationalen Begeisterung, die sich von der Ostgrenze aus als zündender Funke im ganzen Lande verbreitete. Es kam zum Bündnis zwischen Preußen und Rußland; Yorck überschritt die Oder und rückte am 17. März 1813, umjubelt von der Bevölkerung, an der Spitze seines Korps in Berlin ein. Mit großer Auszeichnung kämpften seine Truppen bei Möckern, Großgörschen, Bautzen und an der Katzbach. Am 3. Oktober erwirkte er unter Schwierigkeiten den Elbübergang bei Wartenburg, und an den Schlachten bei Leipzig fällt ihm ein ruhmvoller Anteil zu. Vor Paris erstürmte er den Montmartre und wurde darauf als Yorck von Wartenburg in den Grafenstand erhoben. († 4. 10. 1830)

Leontine Fürstin von Radziwill (1811)

Polnische Fürstin

Die Schwestern Leontine und Mathilde heirateten 1832 die Brüder Radziwill, Leontine den Fürsten Boguslaw und Mathilde den Fürsten Wilhelm. 1837 gründeten die beiden Fürstinnen zusammen mit Luise Hensel und Marianne Saling den Frauenverein von St. Hedwig »zur Pflege und Erziehung katholischer Waisenkinder«, der auch durch die Verheerungen, welche die Cholera vor allem unter den ärmeren Volksschichten angerichtet hatte, notwendig geworden war. Im August 1838 konnte die Anstalt mit den ersten zwölf Waisen eröffnet werden. († 10. 6. 1890)

Leontine Fürstin von Radziwill

August von Heckel (1824)

Deutscher Maler

Geboren in Landshut, hatte Heckel zunächst in Augsburg, dann in München bei K. Schorn und Ph. Foltz, durch die er mit der Historien- und Genremalerei gründlich vertraut gemacht wurde, studiert. Seit 1850 beteiligte er sich – meist erfolgreich – an Ausstellungen. Etwa 1856 lernte Heckel die malerisch-realistische Historien- und Genremalerei in Belgien und Frankreich kennen, 1857/58 schloß er seine Ausbildung in Rom ab und trat in München mit einer historischen Monumentalkomposition hervor *(Judith zeigt dem Volk das abgeschlagene*

Haupt des Holofernes). Auch für die Schlösser König Ludwigs II. arbeitete er. Seine schönsten Arbeiten aber sind intime kleinere Genrebilder. († 26. 10. 1883)

Conrad Dietrich Magirus (1824)
Deutscher Erfinder und Unternehmer

In Ulm geboren, übernahm Magirus nach einer vierjährigen Lehrzeit im Jahre 1846 das väterliche Geschäft in seiner Heimatstadt. Als Turnwart wurde er Mitbegründer der Ulmer Feuerwehr, und hier fand er die Anregungen, durch die er zum Begründer des neuzeitlichen Feuerlöschwesens überhaupt wurde, da er dies Gebiet allmählich zu seinem Hauptberuf machte. Magirus erfand eine Anzahl zweckmäßiger feuerwehrtechnischer Geräte (Magirusleitern) und erwarb sich durch die Organisation der Feuerwehren große Verdienste um das Löschwesen. Er legte den Grund zu der Ulmer Fabrik für Löschgeräte C. D. Magirus. Großen Erfolg hatte er in seiner umfangreichen literarischen Tätigkeit mit der Herausgabe seines Hauptwerkes über das Feuerlöschwesen (1877) zu verzeichnen.

Beseelt von glühender Begeisterung für alles Schöne und Edle, treu in großen wie in kleinen Dingen, erwarb er sich in seinen zahlreichen Ehrenämtern durch rastlosen Fleiß, durch Sachlichkeit und Klarheit stets allgemeine Anerkennung und fand immer noch Zeit zu seiner eigenen Weiterbildung, besonders in Naturwissenschaften und Geschichte. Vielfach ausgezeichnet, starb Magirus am 26. Juni 1895.

Carl Duisberg (1861)

Deutscher Chemiker und Industrieller

Der Name Duisberg ist aufs engste verknüpft mit dem Werden und Wachsen der deutschen chemischen Industrie. Ihm verdankte die Chemie den 1925 erfolgten Zusammenschluß vieler konkurrierender Einzelwerke zur I. G. Farbenindustrie-Aktiengesellschaft, die durch die Güte ihrer Erzeugnisse und durch ihre Forschungsergebnisse Weltruf erlangte. Als Vortragender und Konferenzleiter verstand es Duisberg, der aus kleinen Verhältnissen stammte, zu überzeugen und durch den geistvollen Charme seiner an Pointen reichen Beredsamkeit zu fesseln. Es war für ihn ein Leichtes, den ihn meist umgebenden großen Kreis von Menschen mit selbstverständlich erscheinender Liebenswürdigkeit für sich zu gewinnen. Bei allen Planungen überraschte er durch seine Voraussicht, die besonders deutlich in einer Denkschrift für die Anlage des Werkes Leverkusen bei Köln zum Ausdruck kam. Diese Denkschrift zeugt von einer solch ungewöhnlichen Weitsicht und klaren Erkenntnis der Produktionsvorgänge, daß man sie heute noch mit ehrfürchtigem Staunen liest. Keiner der darin enthaltenen Gedanken hat sich bisher als falsch erwiesen. Noch immer genügt die Großzügigkeit der damaligen Planung modernen Anforderungen, so gewaltig auch in der Zwischenzeit der Ausbau des Werkes gewesen ist. Mit der gleichen Klarheit hat Duisberg, der als Chemiker selbst wichtige Erfindungen gemacht hat, die Aussichten und Möglichkeiten neuer Verfahren beurteilt. So setzte er sich 1911 auf der Hauptversammlung des Deutschen Museums in München für die damals noch recht umstrittene, für die deutsche Wirtschaft ungeheuer bedeutsame Ammoniak-Synthese mit siegessicherer Zuversicht ein. Das Verfahren hat sich restlos bewährt und hat die Ertragsfähigkeit des Bodens entscheidend erhöht. Carl Duisberg starb am 19. März 1935 in Leverkusen.

Bernhard Schmid (1872)

Deutscher Baumeister

Der geborene Bernburger Bernhard Schmid ist aus der Laufbahn des Regierungsbaufaches hervorgegangen und hatte zuletzt den Rang eines Oberbaurates inne. Bereits 1895 war er Regierungsbauführer in Marienburg. In jener Zeit hat er sich wohl Erhaltung und Aufbau der Marienburg zu seiner eigentlichen Lebensarbeit erkoren. Seit 1900 ist er dauernd in Marienburg. Seit 1922 trägt er den Titel *Baumeister der Marienburg,* nachdem er längst zum Provinzialkonservator der Provinzen Ost- und Westpreußen ernannt war. Schmid hat seine Tätigkeit an der Marienburg in verschiedenen gewichtigen Arbeiten niedergelegt, sie sind in den Schriften der Königsberger Gelehrten Gesellschaft erschienen. 1924 verlieh ihm die Königsberger philosophische Fakultät die Würde des Doctors honoris causa; 1941 erhielt er den Herderpreis der Johann-Wolfgang-Goethe-Stiftung; 1942 wurde er Honorarprofessor an der Philosophischen Fakultät in Königsberg. Am 11. Februar 1947 ist er in Holstein gestorben. Eine Zusammenfassung seines Lebenswerkes ist das Buch über die Marienburg (1955).

Kurt von Hammerstein-Equord (1878)

Deutscher General

Am 26. Januar 1933 sollte der Chef des Heeres-Personal-amtes, Generalleutnant Freiherr von dem Bussche-Ip-penburg, einen Routinevortrag beim Reichspräsidenten Generalfeldmarschall von Hindenburg halten. Die Generäle Freiherr von Hammerstein-Equord und Adam, Chef der Heeresleitung und Chef des Truppenamtes (Generalstab), schlossen sich ihm an. Die allgemeine Lage war brisant. Der 85jährige Reichspräsident hatte jedes Vertrauen zu Schleicher verloren, Hitler, dem »Führer« der stärksten Partei, mißtraute er. Er dachte daran, den im Vorjahr gescheiterten Reichskanzler von Papen wieder mit der Kabinettsbildung zu betrauen.

Hammerstein warnte vor einem »Kampfkabinett« Papen-Hugenberg, warnte aber auch vor der zwielichtigen Person Hitlers. Hindenburg wurde ungnädig. Die Herren sollten sich lieber um die Manöver als um die Politik kümmern, brummte er. Außerdem würden sie ihm ja wohl nicht zutrauen, daß er »diesen österreichischen Gefreiten« zum Kanzler mache.

Zwei Tage nach diesem ominösen 26. Januar trat Schleicher zurück. Abermals zwei Tage später war Hitler Reichskanzler mit Papen als Vizekanzler und konservativem Mentor.

Der Januar 1933 brachte für Hammerstein-Equord den Wendepunkt in einer überraschend schnellen militärischen Karriere. Am 26. September 1878 wurde dieser Soldat aus niedersächsischem Uradel, der wie ein preußischer Junker wirkte, in Hinrichshagen geboren. Der Vater war Forstmeister im Dienst des Großherzogs von Mecklenburg-Strelitz. Kurt von Hammerstein-Equord wurde im preußischen Kadettenkorps erzogen und diente als Offizier im preußischen 3. Garde-Regiment zu Fuß, dem gleichen Regiment, aus dem Hindenburg, dessen Sohn und Adjutant Oskar von Hindenburg und Schleicher hervorgegangen waren.

Noch vor dem Ersten Weltkrieg wurde Hammerstein-Equord in den Generalstab versetzt. Nach dem Krieg blieb er im Dienst als ein hochqualifizierter Generalstabsoffizier, dem man Umsicht und außerordentliche Kaltblütigkeit in schwierigen Lagen zuschrieb. Er heiratete die Tochter des Generals der Infanterie Freiherr von Lüttwitz und tat 1920 in dessen Stab in Berlin Dienst. Als der Schwiegervater sich jedoch im März 1920 beim Kapp-Putsch gegen die junge Republik stellte, ging Hammerstein auf Distanz, weil er meinte, daß Militärputsche gar nichts helfen könnten.

Im Jahre 1929 erhielt er als Generalmajor das Truppenamt, den getarnten Generalstab. 1930 trat er, in den General von Schleicher großes Vertrauen setzte, an die Spitze der Heeresleitung. Daß seine Zeit unter Hitler nicht lange währen würde, hat er wohl selbst geahnt. Zum 1. Februar 1934 schied er als Generaloberst aus dem aktiven Dienst, fortan ein stiller, im Gespräch bisweilen grimmiger Frondeur.

Kontakte mit anderen aktiven oder auf eigenen Wunsch ausgeschiedenen Widerständlern blieben, auch zum ehemaligen Generalstabschef Generaloberst Beck. Als Hammerstein bei Kriegsausbruch 1939 die Armeegruppe A im Westen übernahm, war er, entgegen früherer Haltung, entschlossen, notfalls auch Hitler gewaltsam zu beseitigen. Dazu kam es nicht, am 10. Oktober 1939 wurde er von neuem nach Hause geschickt. Eine unheilbare Krankheit setzte seinem Leben am 24. April 1943 zu früh ein Ende.

Thomas Stearns Eliot (1888)

Englischer Nobelpreisträger für Literatur

Thomas Stearns Eliot wurde in St. Louis (USA) geboren. Seine Vorfahren wanderten 1667 aus England nach Massachusetts aus. Ein Großvater gründete 1857 eine Unitarier-Kirche westlich des Mississippi. Er studierte an der Harvard-Universität, an der Sorbonne in Paris und der Universität München Philosophie und indische Sprachwissenschaft und in Oxford griechische Philosophie. Vor seinem Eintritt in die Redaktion der Zeitschrift »Criterion« war er zunächst kurzfristig als Lehrer, dann als Bankkaufmann tätig gewesen. Zu schreiben hatte er schon als Student der Harvard Universität begonnen; sein erstes großes Gedicht *The Love Song of J. Alfred Prufrock* (dt. *J. Alfred Prufrocks Liebesgesang,* 1951), 1911 in München entstanden, war 1915 von Ezra Pound in der Zeitschrift »*Poetry*« veröffentlicht worden. Eliot wurden zahlreiche Ehrendoktorwürden zuteil, so in Harvard, Princeton, Rom (Academia dei Lincei), Edinburgh, München.

Professor Österling, der ständige Sekretär der Schwedischen Akademie, beschrieb bei der Überreichung des Nobelpreises für Literatur 1948 für seine bemerkenswerte Leistung als »Pionier der modernen Poesie« das Gesamtwerk Eliots (bis 1948), hob *Murder in the Cathe-*

dral (1935; dt. *»Mord im Dom«*, 1946) stark hervor und verglich den Dichter mit William Butler Yeats. Mit Eliot sei die Dichtung in eine neue Epoche eingetreten. Beim Bankett erklärte Eliot in seiner Ansprache, die nicht ohne Humor war: Wenn der Nobelpreis für Dichtung dafür verliehen werde, daß ein Dichter über die Grenzen seines Landes hinaus bekannt geworden sei, wäre es unmöglich, den würdigsten im Vergleich zu anderen herauszufinden. Aber die Bedeutung des Nobelpreises läge eher darin, daß ein Dichter zum Symbol für eine bestimmte Art von Dichtung geworden sei. Und so verstehe er, daß man ihn gewählt habe. Die Dichtung nämlich vermöge die Grenzen zwischen den Völkern zu überschreiten, obwohl es im Unterschied zur Kunst so scheine, als könne die Sprache des Dichters nicht außerhalb seines Heimatlandes verstanden werden. Das sei aber nicht der Fall. Die Dichtung könne auch andernorts wahrhaft verstanden werden, und mit Recht dürfe man von europäischer, ja weltweiter »Dichtung« sprechen.

Eine Nobelpreisrede in der öffentlichen Sitzung am 13. Dezember 1948 hat er im Unterschied zu seinen Preiskollegen in Physik, Chemie und Medizin nicht gehalten. († 4. 1. 1965)

Martin Heidegger (1889)

Deutscher Philosoph

Gewöhnlich wird Martin Heidegger als der bedeutendste Philosoph bezeichnet, den die Deutschen in diesem Jahrhundert hervorgebracht haben. Die französische Zeitung *Le Monde* nannte ihn sogar den »größten Denker unserer

Zeit«. Und die Philosophin Hannah Arendt stellte ihn schlichtweg auf eine Stufe mit Platon. Durch Heideggers Denken, schrieb sie, ziehe ein Sturm, wie er ihr nur noch aus dem Werk des Griechen entgegengeweht sei.

Sein einzigartiges Ansehen errang Heidegger, weil er die zentralen Fragen der abendländischen Philosophie – so die nach dem Sein, der Welt, der Zeit, der Wahrheit und der Logik – von Grund auf neu durchdachte. Genaugenommen war es eine einzige Frage, die ihn sein Leben lang nicht losließ. Sie lautet: »Was ist der Sinn von Sein?« Die Antwort darauf formulierte er unter anderem in einem Buch, das 1927 erschien: *Sein und Zeit.*

Geboren wurde Martin Heidegger im badischen Meßkirch, wo sein Vater als Küster in der katholischen Kirche arbeitete. Der Junge war das älteste von drei Kindern. Nachdem er die Bürgerschule mit Erfolg durchlaufen hatte, gewährte ihm die Kirche ein Stipendium, das ihm den Besuch des Gymnasiums ermöglichte. Pfarrer, wie es sich seine Gönner vorstellten, wurde er jedoch nicht. Zwar studierte er ab 1909 in Freiburg einige Semester Theologie. Doch wandte er sich bald anderen Fächern zu – der Philosophie und den Naturwissenschaften.

1913 promovierte Heidegger mit einer kritischen Arbeit über *Die Lehre vom Urteil im Psychologismus* – wobei der Begriff Psychologismus etwa besagt, daß der Ursprung der Logik innerhalb und nicht außerhalb unserer Psyche liegt. Deutlicher: Nach Auffassung der Psychologisten beruht die Erkenntnis, daß $2 \times 2 = 4$ ist, auf einem psychischem Akt, während zum Beispiel die idealistischen Philosophen der Ansicht sind, daß 2×2 auch dann 4 ist, wenn kein Mensch diese Aufgabe rechnet.

»Betroffen« und »gefesselt« fühlte er sich damals von Edmund Husserl (1859–1938), der sein, Heideggers, Denken entscheidend beeinflussen sollte. Husserl war Phänomenologe. Er versuchte zu ergründen, wie die ständig wechselnden Erscheinungen (Phänomene) der Dinge und Vorgänge um uns herum von unserem Bewußtsein zu Erkenntnissen verarbeitet werden.

Ein Herzanfall während der militärischen Ausbildung verhinderte, daß Heidegger 1914 als Soldat an die Front kam. Er wurde vorübergehend entlassen und fand dadurch die Zeit, seine Habilitationsschrift über den Philosophen Johannes Duns Scotus (1266–1308) zu vollenden. Ende 1915 zog ihn der Landsturm ein und setzte ihn in eine Postüberwachungsstelle, die Briefe aus der Schweiz zensierte. In den Abendstunden hielt er Vorlesungen. Unter seinen Hörern befand sich eine Ökonomie-Studentin namens Elfride Petri, die bald seine Frau wurde und ihm zwei Söhne gebar.

Gegen Ende des Ersten Weltkrieges kam Heidegger schließlich noch zu einem Kommando nach Frankreich. In Kriegsgefangenschaft geriet er nicht.

Nach dem Krieg ging es mit seiner Karriere rasch voran. 1918 wurde er Assistent von Edmund Husserl. 1923 erhielt er das zweite Ordinariat an der philosophischen Fakultät der Universität Marburg; zwei Jahre später war er dort bereits die Nummer Eins.

Heidegger, der neben seinen durchgeistigten Kollegen wie ein Bauer am Sonntag wirkte, stieg rasch zur Kultfigur auf. Die Studenten drängten in seine Vorlesungen. Sie kleideten sich wie der Professor, der einen von dem Maler Otto Ubbelohde entworfenen »existenziellen Anzug« trug: langer Überrock und Kniebundhosen. Vor allem aber wurde sein dunkles und eigentümliches Deutsch Mode. Die Sucht zu »heideggern« brach aus. Wörter wie »Bergung« (des Wahren) und »Verfallenheit« des Menschen an das »Man« und das »Gerede«, die vorher völlig unbekannt waren, führten fortan die Hitliste der philosophischen Begriffe an.

Heidegger war ein Vorlesungsphilosoph. Das heißt: Seine Bücher basieren auf Vorträgen, die er während des Semesters gehalten hatte. Auf diese Weise entstand auch sein Hauptwerk *Sein und Zeit,* mit dem er in die *Gigantenschlacht um das Sein* (Platon) einstieg.

Heidegger veröffentlichte das Buch mit dem Hinweis, daß darin noch wichtige Kapitel fehlten und ein zweiter Teil zu erwarten sei. Doch dazu kam es nicht mehr. Denn ab 1930 machte sein Denken eine »Kehre«. Schwerpunkte waren fortan die Fragen nach dem Wesen der Sprache und dem Wesen der Technik.

Er prägte den Begriff »Gestell«, den er dem Wort Gebirge entlehnte (Die Silbe »Ge« heißt soviel wie »versammeln«. Ge-birge ist eine Versammlung von Bergen). Dieses »Gestell«, also die versammelte Technik, begriff und analysierte der Philosoph als eine Macht, die der Mensch zwar schafft, aber nicht beherrscht. Aus dieser Erkenntnis heraus formulierte Heidegger seinen berühmten Satz, daß »die Wissenschaft nicht denkt« – wobei »denken« philosophisches Fragen bedeutet.

1928 erhielt der nunmehr weltberühmte Professor einen Ruf nach Freiburg, wo er das Ordinariat seines Lehrers Edmund Husserl übernahm. Angebote der Berliner Universität, die mit dem doppelten Gehalt und einem

Wagen mit Chauffeur lockte, lehnte er ab. Dabei soll das Kopfschütteln eines befreundeten Bauern den Ausschlag gegeben haben. Der Landmann habe mit seiner stummen Geste dem Denker bedeutet, wo er hingehöre. Tatsächlich besaß Heidegger ein ausgeprägtes Heimat- und Naturgefühl.

Für Martin Heidegger war Deutschland das Land der Dichter und Denker. Wie sein Lieblingsdichter Friedrich Hölderlin glaubte er, den Deutschen sei ein ähnliche Rolle zugefallen wie in der Antike den Griechen. Das heißt: Der Philosoph dachte, daß von diesem Volk eine geistige Erneuerung Europas ausgehen würde.

Die Hoffnung darauf verstärkte sich sogar, als Adolf Hitler 1933 an die Macht kam. Zehn Monate lang war Heidegger fest davon überzeugt, daß der Reichskanzler die politisch zerstrittene und von Massenarbeitslosigkeit heimgesuchte Nation in eine bessere Zukunft führen würde. Als die Nazis kurz nach der Machtübernahme den sozialdemokratischen Universitäts-Rektor von Möllendorf vor die Türe setzten, bedrängte dieser Mann den Philosophen, das Amt zu übernehmen. Heidegger stimmte zu. Er glaubte, mit Hilfe seines Ansehens die Lehrstätte vor einer Politisierung (Gleichschaltung) bewahren zu können. Um nicht als Widersacher die Gefahr einer Abberufung zu beschwören, trat er sogar der Partei bei. Bald wurde ihm jedoch klar, daß sein Taktieren sinnlos war. Gegen seinen Widerstand wollten die Nazis wichtige Posten (Dekanate) mit Männern ihrer Farbe besetzen. Heidegger trat unter Protest zurück.

Nach dem Krieg wurde ihm die Ahnungslosigkeit von 1933 zum Verhängnis. 1945 entfernte ihn die französische

Besatzungsmacht von der Universität. Als er sechs Jahre später wieder lehren durfte, wollte der inzwischen 62jährige Denker nicht mehr. Zu den Vorwürfen, denen er wegen seiner »NS-Vergangenheit« ausgesetzt war, schwieg er hartnäckig. Erst nach seinem Tod veröffentlichte der »Spiegel« ein Gespräch, in dem Heidegger seine Rolle zu Beginn der Hitler-Ära erklärte.

Abgesehen von wenigen Reisen, lebte Heidegger die letzten 25 Jahre völlig abgeschieden in seinem Freiburger Haus oder in seiner Hütte in Todtnauberg. Seine Telefonnummer war geheim. Nicht einmal bei Eilbriefen durfte der Postbote klingeln.

Der Philosoph führte ein strenges, fast eintöniges Dasein. Um 6.30 Uhr stand er auf und frühstückte mit seiner Frau. Von 7.30 Uhr an saß er in seinem Arbeitszimmer, dachte und schrieb. In diesen Stunden durfte sogar seine Frau ihn nicht stören. Sie brachte ihm um zwölf Uhr die Post und rief ihn um 13 Uhr zum Mittagessen. Nach einem kurzen Schlaf arbeitete er wieder von 15 bis 17 Uhr. Danach schloß sich ein Empfang für auserwählte Besucher an, die zu dem einsamen Großgeist gleichsam wallfahrteten. Zwischen 18 und 19 Uhr war der tägliche Spaziergang fällig. Das Abendessen fand um 19 Uhr statt. Den Rest des Tages verbrachte das Ehepaar bei Schallplatten und gegenseitigem Vorlesen. Heidegger zitierte am liebsten Hölderlin, seine Frau bevorzugte Goethe und Adalbert Stifter. Gegen 22 Uhr gingen die Eheleute zu Bett. Heidegger las nur selten Zeitung und besaß auch keinen Fernseher. Bei interessanten Fußballspielen suchte er seinen Schneider auf und setzte sich mit ihm vor den Apparat.

In den letzten Jahren seines Lebens schaffte der Denker hauptsächlich Ordnung in seinen Manuskripten. Er wollte eine »Gesamtausgabe letzter Hand« publizieren, die er auf 70 Bände angelegt hatte. Heute betreut sein Sohn Hermann Heidegger, ein promovierter Historiker und Oberst a. D., das Riesenprojekt, das erst in einem Vierteljahrhundert abgeschlossen sein wird.

Der Philosoph starb am 26. Mai 1976 ganz plötzlich an Herzversagen, während seine Frau in der Küche das Frühstück vorbereitete. Er wurde in Meßkirch, seinem Geburtsort, neben dem Grab der Eltern beigesetzt.

Heideggers Lehre mit ihren zentralen Fragen nach dem Sein und der Zeit steht wie eine schier unbezwingbare Burg in der philosophischen Landschaft. Dabei geht der Denker oft von verblüffend einfachen Fragen aus. So gebrauchen wir täglich das Wort »ist« – die gebeugte Form vom »sein« – ohne jedoch zu begreifen, was dieses Sein bedeutet. Doch verrät uns der häufige Gebrauch, daß wir das Sein als etwas ganz Selbstverständliches voraussetzen. Das ergibt: Obgleich wir damit umgehen, ist uns der Sinn von Sein verschlossen – und zwar nicht nur uns, sondern auch dem Wissenschaftler und Philosophen. Alle sind wir der »Seinsvergessenheit« anheimgefallen. Statt das »Sein« zu erforschen, kümmern wir uns nur noch um das »Seiende«, um Dinge und Menschen.

Beim Studium der Philosophie von Platon bis Hegel entdeckte Heidegger, daß in allen Seins-Deutungen die Zeit eine versteckte Rolle spielt. Denn die Denker betrachteten das »Sein als beständige Anwesenheit«.

Um also das Sein der Vergessenheit zu entreißen, muß man sich mit der Frage nach der Zeit beschäftigen und versuchen in deren »innerstes Wesen« einzudringen. Heidegger, der diesen Vorstoß unternahm, kam zu der Erkenntnis, daß im innersten Wesen der Zeit, in deren Zentrum, der »Sinn von Sein« verborgen liegt.

Gewöhnlich ist für uns Zeit etwas, das sich an der Uhr ablesen läßt. Heidegger sieht in dieser Art Zeit jedoch nur eine abgeleitete Form jener »ursprünglichen Zeit«, die im Wesen des Menschen steckt und von ihm – dem Menschen – nicht wahrgenommen wird. Wollte er mithin an das Wesen der Zeit herankommen, mußte Heidegger das Wesen des Menschen aufbrechen, in der die gesuchte Zeit eingeschlossen ist. Dies gelang dem Philosophen in einer groß angelegten Existenz-Analyse.

Dabei wies der Denker nach, daß unsere Existenz eine Fülle von Strukturen hat, denen er den Namen »Existenzialien« gab. Dazu gehören Begriffe wie Geworfenheit, Entwurf, Sorge, Gewissen und Tod.

Unter dem Begriff Sorge verstand Heidegger die Aufgabe, die der Mensch als Existenz zu vollbringen hat – und dabei kommt er ohne »Entwurf« nicht aus.

Entwurf ist kein Plan. Das Wort meint vielmehr, daß sich der Mensch auf seine Existenzmöglichkeiten hin entwerfen muß, die er in seinem Sein verwirklichen will.

Zur Sorge gehört ferner die »Geworfenheit«. Das heißt: Der Mensch ist, damit er sich überhaupt auf seine Existenzmöglichkeiten hin entwerfen kann, immer schon in solche Möglichkeiten geworfen.

Zur Sorge zählt das »Besorgen«, das sich sowohl im handelnden (praktischen) als auch im wissenschaftlichen (theoretischen) Verhalten der Menschen zur Welt äußert. Im »Besorgen« verwirklichen wir unsere Existenz.

Das ergibt nach Heidegger: Das Sich-Entwerfen auf die Existenzmöglichkeiten hin hat den Sinn der Zukunft, die dem innersten Wesen der Zeit angehört. Das Geworfensein in die Existenzmöglichkeiten macht den Sinn der Vergangenheit (Gewesenheit) aus, die das zweite Moment des innersten Wesens der Zeit bildet. Und das Besorgen schließlich hat den Sinn der Gegenwart, welche die dritte Dimension der Zeit verkörpert.

Ein anderes Existenzial ist der Tod. Der Philosoph analysierte: Das Dasein (der Mensch also) stirbt faktisch, solange es existiert, denn der Tod durchdringt es. Weder wird das Dasein im Tod vollendet, denn auch unvollendetes Dasein endet, noch verschwindet das Dasein einfach, so wie man sagt: »Der Regen ist zu Ende.« Sondern: Der Tod – das Nicht-Sein – ist eine Weise des Sein, die das Dasein übernimmt, sobald es ist.

Existenzialien wie Tod, Sorge und Gewissen gehören unabänderlich zum Sein des Menschen. Und in ihnen »wirkt« eine zwar dunkle, aber viel ursprünglichere Zeit als jene, die uns sagt, daß jetzt Mittag ist oder daß in zwei Minuten der Bus kommt.

Heideggers Erkenntnis läßt sich ungefähr so zusammenfassen:

Der Sinn von Sein ist zugleich das ursprüngliche Wesen der Zeit. Und die Existenz (der Mensch) bildet die Stätte, wo dieser Sinn von Sein zu finden ist. Denn der Mensch ist das einzige Wesen, das weiß oder ahnt: Ich existiere nicht nur, indem ich Dinge tue (besorge) oder Ziele verfolge. Sondern bei allen diesen Dingen und Zielen, die ich täglich verrichte und anstrebe, geht es mir letztlich um mein Sein.

Paul VI. (1897)

Italienischer Papst

Giovanni Battista Montini wurde 1897 in Concesio bei Brescia als Sohn eines Zeitungsverlegers geboren, fühlte sich zum Priester berufen und studierte in Mailand und Rom Katholische Theologie. Seit 1922 im päpstlichen Staatssekretariat beschäftigt, avancierte er 1952 zum Prostaatssekretär und engsten Mitarbeiter Pius' XII.; zwei Jahre später wurde Montini zum Erzbischof von Mailand ernannt. Nach dem Tode des überaus beliebten und volkstümlichen Papstes Johannes XXIII. wählte ihn das Konklave am 21. Juni 1963 zum neuen Stellvertreter Petri – Montini war erst seit 5 Jahren Kardinal und nahm den Namen Paul VI. an.

Pauls Pontifikat wahrte einerseits Kontinuität (Fortführung des 2. Vatikanischen Konzils und Aufnahme des sozialen Verantwortungsgedankens seines Vorgängers), setzte auf der anderen Seite neue Zeichen, ohne freilich an der katholischen Dogmatik zu rütteln (Enzykliken *Populorum Progressio* (1967) und *Humanae Vitae* (1968). Ein neuer Impuls war die umstrittene Paulinische »Ostpolitik«, die mit Blick auf die Christen Osteuropas einen »modus operandi« mit den sozialistischen Staaten suchte. In der Ökumene legte er den Schwerpunkt auf Verständigung mit den orthodoxen Kirchen (Begegnung mit Patriarch Athenagoras von Konstantinopel). Wegen seiner lebhaften Reisediplomatie (Südamerika, Indien, Israel, USA, Australien, Afrika, Südostasien) wurde Paul VI. – wie später auch Karol Wojtyla – als »Reisepapst« bezeichnet. († 6. 8. 1978)

George Gershwin (1898)

Amerikanischer Komponist

In den goldenen Jahren des amerikanischen Musicals, als der drahtig-elegante Fred Astaire und die elektrisierende Ginger Rogers als »unschlagbares Paar« in *Flying down to Rio* und *Shall we Dance* über die Bühnen steppten und wirbelten, stand einer, der entscheidenden Anteil an ihrem Erfolg hatte, abseits des Rampenlichts: George Gershwin, der Komponist der mitreißenden und originellen Melodien, nach denen Hollywood tanzte. Aber das musikalische Feuerwerk, das er mit *An American in Paris (Ein Amerikaner in Paris,* 1928) entzündete, stellte ihn neben Gene Kelly und Leslie Caron vor die Scheinwerfer der Öffentlichkeit. Und mit der ersten Negeroper in der Musikgeschichte, *Porgy and Bess* (1935), einer sensiblen, tragischen und dennoch spritzigen Story aus den sozialen Tiefen des amerikanischen Südens, wurde Gershwin eine nationale Institution.

Geboren am 26. September 1898 in Brooklyn, New York, brachte er mit 16 Jahren seine ersten Schlager zu Papier, wurde als Student bei Rubin Goldmark mit den höheren Sphären der Musiktheorie vertraut gemacht und rannte jahrelang erfolglos mit seinen Noten von Tür zu Tür, bis sich ihm im Jahre 1924 alle Türen öffneten: Mit seiner *Rhapsody in blue* hatte sich der amerikanischste aller amerikanischen Komponisten endlich einen Namen gemacht. Ein Jahr später begleitete Gershwin sein *Klavierkonzert in F-Dur* bei der Uraufführung selbst am Piano und avancierte dank seiner »Alleskönnerei« (Ernste Musik hier, Unterhaltungsmusik da) zum begehrtesten Tonsetzer für die Konzerthäuser, Filmstudios und Musicalbühnen der Vereinigten Staaten. Seinem untrüglichen Theaterinstinkt folgend, gelang ihm die Verbindung von Jazz- und Spiritual-Elementen mit klassischen Klangfarben zu einer neuen, auf ihre Weise wieder originellen Musikform, die sich als idealer Träger für Hand-

George Gershwin
Zeichnung von Graham Bernbach

lungen erwies, wie sie das amerikanische Publikum liebte: naive, vereinfachende Rahmenbedingungen, eine raffinierte Durchführung und die Vorrangigkeit des Paares, das mit schlagerhaftem Zwiegesang eine Brücke über den Graben zum Orchester baut.

So agiert der Amerikaner in Paris mit seiner französischen »femme fatale« vor beinschwingenden Cancan-Tänzerinnen oder am lauschigen Seine-Ufer *(On the town, Our love is here to stay)* gleichermaßen abgelöst und eingebettet in das Hintergrundgeschehen, das wie eine symbolische Staffage zur jeweiligen Gemütsverfassung der Hauptdarsteller erscheint. Die Songs *Summertime* und *I ain't got no shame* aus *Porgy and Bess* werden mit lebensfrohen Gesichtern vorgetragen, während sich einige Schritte bühneneinwärts Krüppel, Gestrauchelte und Rauschgifthändler durch die Szene bewegen – Gershwins Musik sucht die wahre Liebe und das volle Leben auf der Straße, die trotz Not und Armut der Puls des Daseins ist, und nicht in Palästen.

Seinen kompositorischen Qualitäten haben erlauchte Kollegen und Freunde wie Igor Strawinski, Maurice Ravel und Arnold Schönberg ihre Achtung nie versagt, wenn sie auch gänzlich unvergleichbare künstlerische Wege gingen. Am 11. Juli 1937 starb George Gershwin, der »Amerikaner in Hollywood« — in Hollywood; acht Jahre später wird das Leben des Meisters der Vertonung mit dem Musical *Rhapsody in blue* selbst vertont und in Szene gesetzt.

Vadim Glowna (1941)

Deutscher Schauspieler und Regisseur

Mit 20 Jahren begann Vadim Glowna als Schüler von Gustaf Gründgens in Hamburg. Er erntete erste Theaterlorbeeren in Zürich, Berlin und bei dem damals sehr lebendigen Bremer Theater (Zadek, Minks, Hübner). Johannes Schaaf gab ihm seine erste Filmrolle in *Im Schatten der Großstadt*. Seit 1971 gehört er keinem festen Ensemble mehr an. Die Außenseiter, die Randfiguren der Gesellschaft waren es, die ihn seit jeher gereizt haben, ob sie nun kriminell, geistesgestört oder milieugeschädigt waren. Dennoch hat er bis heute eine allzu platte Festlegung vermeiden können. Bekannt wurde er vor allem durch seine zahlreichen Fernsehrollen. Man konnte ihn auch in der Remarque-Verfilmung *Die Nacht von Lissabon* und der Böll-Verfilmung *Gruppenbild mit Dame* sehen. 1981 versuchte er sich erstmals als Spielfilmregisseur mit seinem Film *Desperado City*. Er überraschte dabei durch eindrucksvolle Milieuschilderungen und erhielt bei den Filmfestspielen in Cannes die Goldene Kamera. Glowna lebt heute in München.

Ingrid Mickler-Becker (1942)

Deutsche Leichtathletin

Ingrid Becker, später verheiratete Mickler, ist eine der erfolgreichsten und vielseitigsten Sportlerinnen, die der Deutsche Leichtathletik-Verband (DLV) je hervorgebracht hat. 1960 war sie mit 17 Jahren die bis dahin jüngste Olympiakämpferin, schied allerdings im Hochsprung vorzeitig aus. 1968 wurde sie in Mexiko erstmals Olympiasiegerin durch ihren Erfolg im Fünfkampf vor der Österreicherin Liese Prokop. Vier Jahre später gewann sie in München trotz vorhergehender längerer Verletzungspause mit der bundesdeutschen 4 mal 100-m-Staffel Gold vor der favorisierten DDR-Mannschaft. Ein Jahr zuvor war sie mit 6,76 m Europameisterin im Weitsprung geworden sowie Zweite im 100-m-Lauf. Nach Beendigung ihrer Laufbahn wurde die ehemalige Verkäuferin aus dem westfälischen Geseke Universitätsdozentin in Mainz.

Olivia Newton-John (1948)

Britische Country-Sängerin

Olivia Newton-Johns Kritiker haben nie viel von ihr gehalten, aber was soll's: Alle ihre in den USA herausgebrachten Platten wurden entweder zu Goldenen (1 Mio. Verkäufe) oder zu Platin (1 Mio. verkaufte Alben)! Schon 1974 hatte sie mehr Platten verkauft als alle anderen Country-Sängerinnen der Welt zusammen. Selbst ein so verwöhntes Publikum wie das der New Yorker Metropolitan Opera brachte ihr stehend eine nicht enden wollende Ovation. Olivia hat immer Erfolg gehabt, wo sie auch auftrat, was auch immer sie sang. Am bekanntesten wurden von ihren Liedern *Take me home country roads, If you love me let me know, I honestly love you!, Have you never been mellow, Let me be there.* Ihren ersten Kinofilm *Saturday Night Feaver* drehte sie mit John Travolta, sie machte bald ihre eigene Fernsehshow und unternahm Tourneen durch die ganze Welt, erhielt Preise und Ehrungen – 1978 sogar den britischen Orden »Order of the British Empire«! Olivia liebt Tiere und lebt in einem kleinen Farmhaus in Kalifornien.

Es geschah am 26. September

Ereignisse, die Geschichte machten

1212 Kaiser Friedrich II. bestätigt
böhmische Königswürde

1815 Heilige Allianz

1820 Westernidol Daniel Boone gestorben

1830 Premiere der belgischen Nationalhymne

1835 Uraufführung von Gaetano Donizettis Oper
»Lucia von Lammermoor«

1923 Konflikt zwischen Bayern und dem Reich

1939 Uraufführung von Hans Steinhoffs Film
»Robert Koch, der Bekämpfer des Todes«

1950 UNO-Verbände nehmen Seoul ein

1954 Schwere Sturmkatastrophe in Japan

1957 Uraufführung von Leonard Bernsteins Musical
»Westside Story«

1958 Ende der Entnazifizierung in Bayern

1967 Berliner Bürgermeister Albertz zurückgetreten

1972 Norweger lehnen EG-Beitritt ab

Rekorde des Tages

1212

Heilige Ernennung
Kaiser Friedrich II.
bestätigt böhmische Königswürde

Im Kampf um den deutschen Thron hatten sich die Welfen durchgesetzt. Anfangs war das dem Papste ganz recht, da er die Staufer fürchten mußte, die mit ihren deutschen und sizilianischen Besitzungen den Kirchenstaat förmlich umklammert hielten. Doch der Welfe Otto IV. nahm die staufische Politik wieder auf und verfiel so der päpstlichen Ungnade. Papst Innozenz III. brachte nun sein Mündel, den Sohn Kaiser Heinrichs VI., ins Spiel. Friedrich II., so sein Königsname, machte Otto den deutschen Thron streitig und konnte dabei auf den ganzen staufischen Anhang rechnen. Dennoch warb er bei allen Fürsten des Reiches weiter um Anerkennung. Den Herrscher Böhmens köderte er mit der Bestätigung seiner Königswürde am 26. September 1212. So gewann er nach und nach das Übergewicht über die welfische Partei und führte schließlich das staufische Kaisertum zu neuer Blüte. Seine Bestätigung für den Böhmenkönig lautete:

Friedrich, von Gottes Gnaden erwählter Kaiser der Römer und immer Augustus, König von Sizilien, Herzog von Apulien und Fürst von Capua.

Glanz und Macht unseres Reiches geht allen voran, und andere Fürsten empfangen von unserer Majestät ihre Würde und das königliche Zepter. Daß angesichts eines solchen Quells unserer Freigebigkeit auch anderer Fürsten königliche Würde blühe und nicht unsere einzigartige Erhabenheit ihnen Schaden stifte, halten wir deshalb für rühmlich und großartig. Daher ernennen wir in Ansehung der treu ergebenen Dienste, die das ganze böhmische Volk von alters her dem römischen Reiche treu und ergeben geleistet hat, in Ansehung auch der Tatsache, daß sein erhabener König Ottokar uns unter den anderen Fürsten zuerst zum Kaiser gewählt und uns bei der Durchsetzung der Wahl in nützlichen Treuen beigestanden hat, wie schon unser geliebter Oheim König Philipp frommen Angedenkens nach dem Rate aller Fürsten es in einem Privileg bestimmte, diesen Ottokar zum König und bestätigen das und tun kund diese heilige und verdiente Ernennung. Wir überlassen ihm und seinen Nachfolgern das Königreich Böhmen in aller Freiheit und ohne irgendeine Geldabgabe und ohne die übliche Gerichtshoheit unseres Hofes auf alle Zeiten. Und dies ist unser Wille, daß derjenige, der von den Böhmen zum König gewählt wird, uns oder unsere Nachfolger aufsuche, um von uns in der nötigen Weise die Regalien zu empfangen. Alle Gebiete, die offensichtlich zu dem genannten Königreiche gehören, auch dann, wenn sie ihm etwa entfremdet sein sollten, übergeben wir ihm und seinen Nachfolgern zum Besitz.

1815

Gerechtigkeit, Liebe, Friedseligkeit

Heilige Allianz

Auf dem Wiener Kongreß der europäischen Fürsten hatte sich gezeigt, daß aller Reformeifer im Kampf gegen Napoleon nach dem Sieg erlahmt war. Die Monarchen mühten sich im Gegenteil, sich gegen die Ideen der französischen Revolution zu schützen, die Napoleons Heere über Europa verbreitet hatten. Kaiser Franz I. von Österreich, Zar Alexander I. und Preußens König Friedrich Wilhelm III. fanden sich daher am 26. September 1815 zu einer Allianz zusammen, die wegen ihrer religiösen Verankerung »heilig« genannt wurde. Die Verbrüderung der Herrscher »von Gottes Gnaden« war deutlich gegen die demokratischen Tendenzen gerichtet. Der sakrale Ton der Urkunde wurde von allen Liberalen als Drohgebärde verstanden:

Im Namen der heiligen und unteilbaren Dreieinigkeit. Ihre Majestäten der Kaiser von Österreich, der König von Preußen und der Kaiser von Rußland haben infolge der großen Ereignisse der letzten Jahre und insbesondere der Wohltaten, welche die göttliche Vorsehung den Staaten erwiesen hat, die ihr Vertrauen und ihre Hoffnung allein auf sie setzten, die innige Überzeugung von der Notwendigkeit gewonnen, ihre gegenseitigen Beziehungen auf die erhabenen Wahrheiten zu gründen, welche uns die Religion des göttlichen Heilandes lehrt. Sie erklären feierlich, daß der gegenwärtige Akt nur den Zweck hat, im Angesicht der ganzen Welt ihren unerschütterlichen Beschluß zu bekunden, zur Richtschnur ihres Verhaltens im Innern ihrer Staaten wie nach außen nur die Vorschriften dieser heiligen Religion, die Vorschriften der Gerechtigkeit, Liebe und Friedseligkeit zu nehmen, welche weit entfernt nur für das Privatleben bestimmt zu sein, im Gegenteil besonders die Entschlüsse der Fürsten beeinflussen und alle ihre Pläne bewahren müssen, nur ein Mittel zu sein zur Befreiung der menschlichen Einrichtung und zur Heilung ihrer Unvollkommenheiten. Infolgedessen haben Ihre Majestäten sich über folgende Artikel geeinigt:

Art. I. In Gemäßheit der Worte der Heiligen Schrift, welche allen Menschen befiehlt, sich als Brüder zu betrachten, werden die drei Monarchen vereinigt bleiben durch die Bande einer wahren und unauflöslichen Brüderlichkeit, sich als Landsleute ansehen, und sich bei jeder Gelegenheit Hilfe und Beistand leisten; sie werden sich ihren Untertanen und Armeen gegenüber als Familienväter betrachten und dieselben im Geiste der Brüderlichkeit lenken, um Religion, Frieden und Gerechtigkeit zu schützen.

Art. II. Infolgedessen soll als der einzige Grundsatz, sei es zwischen den genannten Regierungen, sei es zwischen ihren Untertanen, gelten, sich gegenseitige Dienste zu erweisen, durch ein unveränderliches Wohlwollen die Zuneigung zu bezeugen, zu der sie sich verpflichtet haben, sich nur als Glieder der einen christlichen Nation zu betrachten. Die drei verbündeten Fürsten sehen sich nur an als die Bevollmächtigten der Vorsehung, um drei Zweige einer und derselben Familie zu regieren: Österreich, Preußen und Rußland, damit bekennend, daß die christliche Nation, zu der sie und ihre Völker gehören, in

Wahrheit keinen andern Souverän hat als den, dem allein die Macht gehört, weil in ihm allein alle Schätze der Liebe, der Erkenntnis und der unbegrenzten Weisheit liegen, d. h. Gott, unsern göttlichen Erlöser Jesus Christus, das Wort des Höchsten, das Wort des Lebens. Ihre Majestäten empfehlen daher ihren Völkern mit der pünktlichsten Sorgfalt als das einzige Mittel dieses Friedens teilhaftig zu werden, welcher aus dem guten Gewissen entspringt und allein von Dauer ist, sich täglich mehr zu befestigen in den Grundsätzen und der Erfüllung der Pflichten, welche der göttliche Heiland die Menschen gelehrt hat.

Art. III. Alle Mächte, welche sich feierlich zu diesen heiligen Grundsätzen bekennen wollen und erkennen, von welchem Einfluß es auf das Glück der so lange beunruhigten Nationen ist, daß diese Wahrheiten fortan ihren ganzen gebührenden Einfluß auf die menschlichen Geschicke ausüben, werden mit großer Freude in diese Heilige Allianz aufgenommen werden.

1820

Unter Trappern und Indianern

Westernidol Daniel Boone gestorben

Hochbetagt starb am 26. September 1820 Daniel Boone, eine der fast sagenhaften Heldengestalten des amerikanischen Westens. Er diente Cooper, dem Verfasser des unsterblichen *Lederstrumpf,* als Vorbild für den Hinterwäldler, Jäger und Pfadfinder Natty Bumppo. Boones Männerjahre fallen in die wilde Zeit der Kolonisation der

Indianergebiete, als jahrzehntelang die Grenze zwischen Weiß und Rot im erbarmungslosen Kampf lichterloh brannte, als die Wehrbauern und Jäger vom französischen Kanada und dem neuenglischen Virginien und Carolina her in das Neuland am Mississippi, Ohio und Tennessee vorstießen.

In kaltblütigem Wagemut zogen die Familien der Siedler über Berge und Steppen, um Hunderte und Tausende von Meilen jenseits der letzten weißen Dörfer, mitten im Herzen des Indianerlandes, ihre roh behauenen Blockhütten zu errichten und ein Stück schnell gerodeten Ackers mit Mais zu besäen.

Die Familie Daniel Boones, der 1734 geboren wurde, hatte sich seit langem am Yadkin-Fluß im Appalachengebirge niedergelassen. »Squire« Boone, der Bruder, betrieb mit den Frauen und Kindern die Landwirtschaft, während Daniel durch die Wälder streifte und mit seiner Büchse für frisches Wildbret, für Bärenpelze und Hirschdecken sorgte, die in der Stadt gegen Pulver und Blei getauscht wurden.

Im Jahre 1768 brach Boone mit einigen Freunden auf, um das kaum von Weißen betretene Land westlich der Berge, das spätere Kentucky, zu erforschen. Die Männer fanden dort ein Paradies vor: Millionen von Büffeln und Hirschen, ein mildes, gesundes Klima, herrliche Parkwälder mit Edelholzbäumen und die berühmte »Blaugrassteppe« mit metertiefem Humusboden.

Auf den Wegen, die Daniel Boone als erster beschritten und ausgekundschaftet hatte, folgte der Strom der Ansiedler, die aus Kentucky einen der reichsten Staaten Amerikas machten.

1830

Feurige Brabanterin

Premiere der belgischen Nationalhymne

Im August 1830 sprang der Funke der französischen Julirevolution nach Belgien über, und zwar direkt ins Brüsseler *Theatre de la Monnaie,* wo François Aubers *Die Stumme von Portici* zum besten gegeben wurde. Das Stück gedachte des italienischen Freiheitskampfes gegen das spanische Vizekönigtum mit einem vaterländischen Lied, das von den belgischen Zuhörern als patriotische Andeutung ihres Unabhängigkeitsstrebens gegen die Vereinigten Niederlande verstanden wurde. Als im Parkett ein Tumult ausbrach und das Publikum die Fäuste schüttelte, standen zwei Angestellte des Theaters, der Tenor und Geiger van Campenhout und der poetisierende Schauspieler Jenneval, etwas abseits und schüttelten die Köpfe. Aus dem spontanen Radau entzündete sich eine allgemeine Volkserhebung; während in den Straßen geschossen wurde, nahm van Campenhout ein Notenpapier zur Hand, destillierte aus der Arie des Anstoßes und einem polnischen Ulanenlied die feurigsten Töne heraus und verflocht sie mit eigenen Noten zu einer rebellischen Marschmusik. Jenneval ersuchte derweil mit ebenmäßigen Versen die Holländer um Nachsicht, möbelte seine Zeilen aber erheblich auf, als die entnervten niederländischen Truppen Tage später zum Abzug bliesen. Diese neue, »mutige« Textversion, eine Schimpfkanonade an die Adresse des Hauses Oranien, sang van Campenhout nach seiner Melodie am 26. September 1830 im Brüsseler Cafe de l'Aigle d'or in der Rue de la Fourche

– die belgische Nationalhymne war geboren. Am gleichen Tag zogen sich die Holländer hinter ihre heimischen Deiche zurück, und Belgien proklamierte seine Unabhängigkeit.

Dreißig Jahre später wurde das Staatslied, die *Brabanconne (Brabanterin)*, von dem versöhnlichen Politiker Charles Rogier umgetextet, da man das Königshaus des nördlichen Nachbarn nicht auf ewig beleidigen konnte. Aber trotzig und stolz, mit einem Hauch von »Marseillaise«, klingt auch Rogiers noch heute gültige Version: »Nach fremder Knechtschaft dumpfen Zeiten enstieg der Belgier dem Grab...«

1835

Lucia von Lammermoor

Italienische Oper

Die Handlung der tragischen Oper von Gaetano Donizetti nach dem Libretto von Salvatore Cammarano spielt in Schottland am Ende des 16. Jahrhunderts. Am 26. September 1835 kam die Oper in Neapel zur Uraufführung. Reclams Opern- und Operettenführer beschreibt die Handlung und charakterisiert die Musik.

Handlung

1. bis 3. Akt. Durch einen Wechsel auf dem schottischen Königsthrone glaubt sich Lord Heinrich Ashton im Besitz seiner Güter bedroht. Nur eine Verbindung seiner Schwester Lucia mit dem einflußreichen Lord Arthur Buklaw scheint Rettung zu verbürgen. Zu seinem Entsetzen muß Ashton feststellen, daß Lucia in Liebe zu seinem ärgsten Feinde Edgard von Ravenswood entbrannt ist. Die Liebenden geloben einander ewige Treue. Edgards Abwesenheit dient Ashton dazu, jenen durch gefälschte Dokumente der Untreue zu verdächtigen. Dadurch vermag er die Schwester zu überreden, in die Vermählung mit Buklaw einzuwilligen. Im Augenblick der Paktunterzeichnung kehrt Edgard zurück und wendet sich verachtungsvoll von der scheinbar ungetreuen Lucia ab. In einem Anfall geistiger Verwirrung tötet diese Buklaw in der Hochzeitsnacht und endet im Wahnsinn. Als Edgard vom Tode der Geliebten erfährt, stößt er sich den Dolch in die Brust.

Musik

Sie ist im Gegensatz zu der hyperromantischen Handlung auf Entfaltung melodischen Zaubers, kantablen Wohlklangs bedacht. Am reichsten damit versehen ist die Titelfigur, eine Paraderolle für die Koloratursängerin. Überall, wo Lucia das Wort ergreift, erhebt sich die Tonsprache, auch im Ensemble, zu Wärme und Ausdruckskraft.

In der berühmten Wahnsinnsszene des Schlußaktes, einer Art lyrischer Traumvision, wetteifern die »Nachtigallenklagen« der Singstimme mit den Tönen einer obligaten Flöte. Auch die Partie Edgards besitzt starke Wirkungsmomente, so im Liebesduett mit Lucia (1. Akt) und in seiner letzten Arie »Du, die schon in Himmelshöhen«. Das Sextett im 2. Akte »Wer vermag's, den Zorn zu hemmen« zählt zu den meisterhaftesten Ensemblenummern der italienischen Oper vor dem Wirken Giuseppe Verdis.

1923

Weiß-Blau gegen Schwarz-Rot-Gold
Konflikt zwischen Bayern und dem Reich

Für Mittwoch, den 26. September 1923, bereitete der Reichskanzler Stresemann die Proklamation der Reichsregierung vor, mit der die Einstellung des passiven Widerstandes im Ruhrgebiet gegen die französisch-belgische Besatzung bekanntgegeben werden sollte. Auch der bayerische Ministerpräsident v. Knilling hatte im Reichsrat für die Einstellung gestimmt. Noch in der Nacht vom 25. auf den 26. September 1923 entschloß man sich in der bayerischen Staatskanzlei jedoch zu einem Sonderschritt. »In solchen Zeiten«, hieß es am 26. offiziell, müsse die Staatsregierung »die Zügel straff in der Hand behalten«. Auf Grund des Artikels 48 der Reichsverfassung und des Paragraphen 61 der Verfassung des Freistaates Bayern verkündete das Kabinett v. Knilling für Bayern – ohne die Reichsregierung zu konsultieren – den Ausnahmezustand und setzte etliche Grundrechte außer Kraft.

Zur Aufrechterhaltung von Ruhe und Ordnung berief die Staatsregierung den Regierungspräsidenten von Oberbayern, Gustav Ritter v. Kahr. Kahrs erste Verlautbarungen schlossen mit einer sibyllinischen Prognose: Die Monarchie werde nicht ausgerufen, sie wachse und »komme von selbst«. Hätte man in dieser Stunde in München den Kronprinzen Ruprecht zum König proklamiert, so hätte dies unweigerlich den völligen Bruch mit Berlin bedeutet.

In Berlin vernahm man mit Verblüffung von dem ei-

45

genmächtigen Schritt Bayerns. Gegenüber Stresemann versuchte Ministerpräsident v. Knilling das eigenmächtige Vorgehen Bayerns damit zu begründen, daß man »Dummheiten« habe befürchten müssen, wenn die Liquidierung des passiven Widerstandes bekannt wurde.

Das zielte sowohl auf Hitler und dessen wohlbewaffnete, militärisch gedrillte Privatarmee, wie auf die zahlreichen sonstigen Wehrbünde im weiß-blauen Freistaat, zu denen wiederum die Reichswehr Beziehungen hatte. Kahr sah damals in Bayern den Hort des deutschen Nationalismus gegenüber dem »roten verjudeten Berlin« und rief zu einem imaginären Marsch nach Norden auf, was Hitler wiederum mit Mißtrauen beobachtete, weil er selbst mit Putschideen liebäugelte.

Während man in Bayern mit Separatmaßnahmen spielte, um das Reich zu »retten«, protestierten in Berlin sowohl die Kommunisten wie auch die Deutschnationalen gegen den Ausnahmezustand. Die Kommunisten fürchteten die Vereitelung ihrer Pläne für einen Generalaufstand wie für das Schicksal der proletarischen Hochburgen Sachsen und Thüringen, wo Kommunisten in die sozialdemokratisch geführten Landesregierungen eintraten. Die Deutschnationalen wollten der Regierung Stresemann, in der auch Sozialdemokraten saßen, den Trumpf der Halbdiktatur nicht gönnen.

In Brüssel wie in Paris förderte man die Abfallbewegung vom Reich in der Hoffnung, es könnten Pufferstaaten vor der belgisch-französischen Ostgrenze entstehen. Am 30. September, dem »Düsseldorfer Blutsonntag«, schlug die Polizei einen Separatistenputsch in Düsseldorf nieder, es gab 14 Tote und 74 Schwerverletzte.

1939

Robert Koch, der Bekämpfer des Todes

Deutscher Spielfilm

Hans Steinhoff verfilmte mit diesem Streifen eine bedeu-
tende Epoche der Geschichte der Medizin. In den Haupt-
rollen sind Emil Jannings als Dr. Koch und Werner
Krauss als dessen Gegenspieler Dr. Virchow zu sehen.
Der Film wurde am 26. September 1939 uraufgeführt.

Wenn man die Weltgeschichte verfolgt, auf historischem,
kulturellem und wissenschaftlichem Gebiet, so werden
wir immer wieder feststellen, daß jene Pioniere, die diesen Gebieten dienten und sie förderten, selten Anerkennung und Lob zu ihren Lebzeiten ernteten. Von erschüt-
ternder Tragik und gigantischer Größe ist oft das Helden-
tum von Forschern und Entdeckern, und fast von allen
wissen wir, daß der Kampf um den Sieg über die Ver-
ständnislosigkeit der Menschen oft härter auszufechten
war als eine Entscheidung durch Feuer und Schwert. Ein-
sam durchwachte Nächte, Not und Entbehrung, Spott
und Hohn der Kollegen waren der Lohn für die unermüd-
liche Forscherarbeit des Arztes Dr. Robert Koch. Damals ein kleiner Landarzt, verkannt und verlacht, aber
heute ein Begriff in der Welt der Medizin – der unvergeß-
liche, große Entdecker. Ihm und seiner Unbeirrbarkeit
dankt es heute noch die Menschheit, daß er sie von einer
Geißel befreite, die der Tod schwang. Jahre um Jahre
kämpfte Dr. Robert Koch in der Stille seines dürftigen,
armseligen Laboratoriums für eine wichtige medizinische
Entdeckung, bis ihn endlich ein Ruf nach Berlin in ein

großes Institut rief und ihm nun die Möglichkeit gab, in weitem Umfange, in großzügiger Weise seine Forschungen durchzuführen. Wir wandern mit Dr. Robert Koch durch Not und Armut und sehen dem Tod ins unerbittliche Auge. Durch Anatomiesäle und Krankenzimmer führt dieser Weg. Er zeigt uns überfüllte Hörsäle und begeisterte Studenten, und glänzende Hofbälle beim alten Kaiser geben ein Bild von jener Zeit um 1880. Wir sehen Rudolf Virchow dem großen Forscher Robert Koch als unerbittlichen Gegner gegenüber und erleben den Kampf und die Niederlage, den Schmerz und die Verzweiflung des stillen Gelehrten. Und heute wissen wir um den Segen dieser Forscherarbeit und stehen ehrfürchtig still vor dem großen Werk dieses Mannes, diesem Werk, das über das Grab hinaus dauert, und vor dem Namen, der weit über den Erdball bekannt ist und auch bleiben wird.

1950

Schwere Kämpfe in Korea

UNO-Verbände nehmen Seoul ein

Die UNO-Truppen eroberten am 26. September 1950 in Korea Seoul zurück. Die südkoreanische Hauptstadt war am 17. Juni von den Nordkoreanern besetzt worden; bis Ende August hatten sie den größten Teil Südkoreas erobert, bis auf ein Gebiet um die Hafenstadt Pusan. Am 15. September traten die UNO-Truppen unter dem Oberbefehl von General MacArthur zum Gegenangriff an. Nach einem zwölfstündigen Luft- und Seebombardement landeten sie bei Inchon, dem Hafen von Seoul, und drangen ins Landesinnere ein. Vier Tage später traten die UNO-Truppen auch vom Brückenkopf Pusan aus zum Angriff an. Am 26. September vereinigten sich die beiden Angriffskeile. *(SZ)*

1954

Flutwellen und Feuersbrünste

Schwere Sturmkatastrophe in Japan

Große Teile Japans wurden am 26. September 1954 von einem Wirbelsturm heimgesucht. Über dem Pazifik hatte sich der Taifun »Marie« gebildet. Er brach zuerst über die Inseln Kiuschu und Schikoku herein und wanderte dann, eine breite Schneise der Zerstörung hinter sich lassend, nach Norden. Eisenbahnen, Straßen, Nachrichtenverbindungen wurden an Hunderten von Stellen unterbrochen. Riesige Flutwellen ergossen sich ins Land und überschwemmten dichtbesiedelte Wohngebiete. In vielen Orten brachen zusätzlich Feuersbrünste aus. So wurde die Stadt Iwanai durch Feuer zu vier Fünftel vernichtet. Die schwerste Einzelkatastrophe war der Untergang der Eisenbahnfähre *Koja Maru,* die zwischen den Inseln Honschu und Hokkaido verkehrte. Sie hatte drei vollbesetzte Eilzüge an Bord und war noch ausgelaufen, weil die Wettervorhersagen nichts Schlimmes angekündigt hatten. Schließlich vor Anker liegend, traf der Taifun das Schiff mit solcher Gewalt, daß die Ankerkette riß und die Fähre auf die Felsen der Küste getrieben wurde, wo sie zerschellte und sank. Von den 1127 Passagieren kamen 943 ums Leben. Insgesamt forderte der Taifun 3000 Todesopfer. Außer dem Fährschiff *Koja Maru* gingen noch vier andere Hochseeschiffe und über 600 kleinere Schiffe, vorwiegend Fischerboote, unter. 200000 Gebäude wurden zerstört, 99000 Menschen obdachlos, 16000 Hektar Ackerland überschwemmt, 400 Brücken stürzten ein. 20 Jahre vorher hatte eine ähnliche Katastrophe Japan heimgesucht. Am 21. September 1934 raste ein Taifun über die Inseln; 1500 Menschen kamen ums Leben. *(SZ)*

1957

Westside Story

Amerikanisches Musical

In 15 Bildern läuft Leonard Bernsteins Musik-Drama nach Texten von Arthur Laurents und Stephen Sondheim ab. Es schildert die Geschichte zweier rivalisierender Jugendbanden im Nordwesten Manhattans. Hintergrund ist das Milieu der New Yorker Unterschicht mit seinen Problemen und Hoffnungen. Mit seinen zündenden Musiknummern wurde Bernsteins Werk zu einem internationalen Hit. Schon die Broadway-Premiere am 26. September 1957 wurde begeistert gefeiert.

1. Akt. An der Grenze zwischen dem Farbigenviertel Harlem und den Straßen, in denen Weiße wohnen, lungern eines Nachmittags ein paar Halbstarke herum. Sie gehören zur Clique der Jets, der Düsenjäger. Unter der Leitung ihres Anführers Riff rempeln sie eine Gruppe jugendlicher Puertoricaner an, die sich gleichfalls zu einer Clique zusammengeschlossen haben, den Sharks, den Haifischen. Ihr Anführer heißt Bernardo. Er und seine

Sharks setzen sich zur Wehr. Ehe die Schlägerei Ausmaße annehmen kann, greifen Polizisten ein und schicken die Puertoricaner zurück in ihr Viertel, tadeln die Jets – wenn auch nur sehr milde – und verschwinden wieder. Die Jets unterhalten sich über die Puertoricaner und plappern dabei nach, was sie von ihren Vätern hörten, daß die Farbigen die freie Wirtschaft ruinieren und ähnliches. Sie beschließen gegen die Sharks einen Kampf bis aufs Messer. Riff verspricht, heute abend beim Tanz in der Turnhalle Bernardo, den Anführer der Sharks, zu provozieren. Schließlich berauschen sich alle an ihrem Cliquenlied: »Du bist und bleibst ein Jet von der ersten Zigarette bis zu deiner Todesstunde!« – Eine halbe Stunde später befindet Riff sich in einem Hinterhof, wo sein Freund Tony auf einer Leiter steht und an dem Ladenschild von Doc's Drugstore malt. Riff berichtet von dem bevorstehenden Kampf gegen die Sharks und fordert Tony auf, heute abend in die Turnhalle zu kommen, wo er etwas erleben werde. – Zwei puertoricanische Mädchen befinden sich in der Nähstube eines Kleiderladens. Anita, Bernardos Freundin, ändert das Kommunionskleid von Bernardos Schwester Maria in ein Kleid für eine Party um. Bernardo hat Maria vor einem Monat von Puerto Rico nach New York kommen lassen, weil sie seinen Freund Chino heiraten soll. Heute abend gehen sie alle tanzen, und das wird sicher der Beginn von Marias Leben als echte junge Amerikanerin. – In der geschmückten Turnhalle versammeln sich die Jugendlichen der Gegend, und das sind wiederum die Jets und die Sharks. Mit Riffs Absicht, Bernardo zu provozieren, wird es nichts. Polizei ist da. Außerdem ordnet Glad

Hand, der Tanzmeister, die Paare so, daß für eine Provokation keine rechte Gelegenheit ist. Während des Tanzes läßt es sich aber nicht vermeiden, daß die Angehörigen einer Clique Partnern der anderen gegenüberstehen. So gerät Tony an Bernardos Schwester Maria. Bei beiden ist es Liebe auf den ersten Blick. Als Tony Maria küßt, weist Bernardo ihn zurück. Die Spannung steigt auf den Höhepunkt. Da der Kampf hier nicht ausgetragen werden kann, verabreden Riff und Bernardo einen Treff der Cliquen in Doc's Drugstore. Alle gehen; nur Tony bleibt zurück und träumt: »Maria! Maria! Der herrlichste Klang, den ich je hörte: Maria! Maria! Maria!« – Er beläßt es nicht beim Träumen, findet ihre Wohnung und stellt sich unter die Feuerleiter, die wie überall bei den älteren New Yorker Häusern an der Rückseite auch ihres Hauses emporführt, ruft nach ihr, hört ihre Antwort, klettert hinauf, und nun sind die beiden Liebenden endlich beisammen: »Tonight, tonight – alles beginnt heute nacht!« – Tony verschwindet und trifft so nicht auf Bernardo, Chino und Pepe, die ihre Mädchen heimbringen. Die Szene mit Maria und Tony in der Turnhalle hat ihnen zu denken gegeben. Tonys Vater war Pole; aber Tony ist schon in den Staaten geboren und darf sich als Amerikaner fühlen. Sie dagegen sind hier Fremde. Das wollen sie nicht bleiben: »I like to be in America! Okay by me in America! Everything free in America – wie schön ist es, unter der amerikanischen Freiheit zu leben!« Aber sie wissen auch: »Nobody knows in America Puerto Rico's in America – niemand in Amerika will etwas von den Puertoricanern wissen!« – In Doc's Drugstore warten die Jets, und Riff ermahnt seine Clique, ihr Vorhaben eiskalt durchzuführen: »Boy, crazy boy, get cool, boy!« Nachdem Bernardo mit seinen Jungen gekommen ist, wird verabredet, die entscheidende Schlacht zwischen den beiden Cliquen morgen abend unter der Brücke einer Hochstraße auszukämpfen. – Am Nachmittag des nächsten Tages sind Maria und Anita wieder in der Nähstube. Maria erfährt von dem verabredeten Kampf. Als Tony auftaucht, schickt Maria die Freundin fort und versucht, Tony zu überreden, den Kampf der Banden zu verhindern. Dann sprechen sie von der Zukunft und spielen einander in Brautkleid und Frack die eigene Hochzeit vor: »Make of our hands one hand. Make of our hearts one heart!« Ein Leben lang wollen sie das bleiben, ein Herz und eine Hand. – Unter der Brücke der Hochstraße treffen die beiden Cliquen aufeinander. Tony will, wie er es Maria versprach, den Kampf verhindern. Bernardo beschimpft ihn als feige. Riff, angetrieben durch die blutdürstigen Anfeuerungen seiner Clique, Bernardo hinzuschlachten, stürzt sich mit einem Messer auf den Puertoricaner. Tony entreißt Riff das Messer. Diesen Augenblick benutzt Bernardo, Riff sein Messer in den Leib zu jagen. Daraufhin ersticht Tony den triumphierenden Bernardo. Während fern die Polizeisirenen heulen, kommt Tony zu Bewußtsein, was er tat, und schmerzerfüllt ruft er Marias Namen aus.

2. Akt. Die puertoricanischen Mädchen sitzen in Marias Schlafzimmer und hängen ihren Jungmädchenträumen nach. Chino erscheint, die Mädchen gehen. Er berichtet, daß Tony Bernardo tötete. Nachdem auch er gegangen ist, klettert Tony über die Feuerleiter in Marias Zimmer. Sie schreit ihn an: »Mörder!« Er erklärt ihr, wie alles kam und will sich der Polizei stellen. Das möchte sie nicht. Verzweifelt sehnen sich beide nach einem Land, in dem sie ohne Angst leben könnten: »There's a place for us!« Dort möchten sie sein. – Die Jets glauben nicht, daß die Polizei ihnen etwas nachweisen kann. Sie fühlen sich noch nicht einmal schuldig. Ein Mädchen bringt die Nachricht, daß Chino beschlossen hat, auf Tony Jagd zu machen. Die Jets wollen ihn schützen, aber keiner weiß, wo er steckt. – Er ist bei Maria. Als Anita kommt, klettert er aus dem Fenster. Maria gesteht Anita, daß sie Tony liebt. Sie liebt ihn so sehr, daß sie der Polizei seinen Namen verschweigt. – Anita erzählt in Doc's Drugstore den Jets, Chino habe Maria erschossen. Sie will dadurch Tony aus seinem Versteck locken. Ihre Rechnung geht auf. – Rasend vor Wut läuft Tony zum Hause Marias und sucht Chino. Er stößt auf Maria und weiß nun, daß er getäuscht wurde. Als er sie umarmen will, wird er von Chino erschossen. Die Jets wollen sich auf die Sharks stürzen, doch Maria verhindert es. Die Polizei kommt zu spät – nicht zu spät, um zu sehen, wie die beiden jugendlichen Banden über der Leiche Tonys Frieden schließen.

1958

Spruchkammerverfahren eingestellt

Ende der Entnazifizierung in Bayern

Der bayerische Ministerpräsident Hanns Seidel teilte am 26. September 1958 dem Landtag mit, daß die Entnazifizierung in Bayern beendet sei. An Stelle des ursprünglichen Säuberungsbescheides solle, soweit dies noch erforderlich sei, eine politische Unbedenklichkeitsbescheinigung ausgestellt werden. Die anhängigen Spruchkammerverfahren würden eingestellt. Neue Verfahren könnten nicht mehr eingeleitet werden, auch nicht Wiederaufnahmeverfahren. Anhängige Wiederaufnahmeverfahren würden als Gnadengesuche behandelt. Seidel teilte mit, daß ein Entnazifizierungs-Abschlußgesetz ausgearbeitet werde, in dem alle anstehenden Rechtsfragen geregelt würden. So sollten die für Belastete ausgesprochenen Beschränkungen bei der Bekleidung öffentlicher Ämter aufgehoben werden. Der Verlust der Versorgungsrechte für Hauptschuldige hingegen solle aufrechterhalten bleiben. *(SZ)*

1967

Arbeitsunfähiger Senat

Berliner Bürgermeister Albertz zurückgetreten

Der Regierende Bürgermeister von Berlin, Heinrich Albertz, trat am 26. September 1967 zurück. Albertz war 1966 als Nachfolger von Willy Brandt gewählt worden, als dieser als Vizekanzler und Außenminister der Großen Koalition nach Bonn ging. Bei den Wahlen zum Berliner Senat im März 1967 hatte die SPD die absolute Mehrheit behalten und Albertz wieder als Bürgermeister eingesetzt. Nach dem Tod des Studenten Benno Ohnesorg bei der Anti-Schah-Demonstration am 2. Juni 1967 mußte Innensenator Büsch zurücktreten. (Ein Untersuchungsausschuß hatte harte Kritik am Vorgehen der Polizei geübt.) Albertz gelang es nicht, einen Nachfolger für ihn zu finden. Der rechte und linke Flügel der Berliner SPD lagen miteinander so sehr in Fehde, daß keiner der Kandidaten eine Mehrheit bekommen konnte. Albertz, der Mitte zugerechnet, hatte die Linken gegen sich aufgebracht, als er nach dem Tode Ohnesorgs zunächst die Polizei in Schutz genommen hatte (was er später als einen Fehler bezeichnete). Er war aber auch nicht bereit, den Kandidaten der Rechten zu akzeptieren. »Meine Versuche«, so erklärte Albertz, »einen arbeitsfähigen Senat zu erhalten sind gescheitert.« Im Interesse der Stadt und der Bürger sei er deswegen zurückgetreten. *(SZ)*

1972

Nordisches Nein

Norweger lehnen EG-Beitritt ab

»EG – nein danke!« war dem Sinne nach die Aussage, die eine überzeugende Mehrheit der norwegischen Bürger am 26. September 1972 in Richtung Brüssel formulierte. 53,9 Prozent der Wähler hatten sich bei der Volksabstimmung über den geplanten Beitritt zur Europäischen Gemeinschaft für die Beibehaltung der wikingischen Einzelgänger-Rolle entschieden, um die nordische Fischsuppe auch fürderhin allein auslöffeln und das Nordseeöl in die eigenen Tanks pumpen zu können. Die Sechsergemeinschaft hatte ihre Tore zum Europa-Butterberg für vier auserwählte Anwärter weit geöffnet und sah sich nun als verschmähter Liebhaber behandelt. Mit den geplanten »Zehn« wurde es also nichts, aber Großbritannien, Irland und Dänemark traten trotz des Neins aus Oslo dem »Club« bei und erweiterten ihn um ihrer drei.

Schneller laufen, weiter springen, tiefer tauchen – der Mensch will hoch hinaus. Seit der Neandertaler hinter Hasen her- und vor Bären davonlief, jagt der Mensch Rekorden nach – einem kleinen Stück Unsterblichkeit, das beispielsweise Herrn P. (8000 bemalte Ostereier) mit Picasso (13500 Gemälde) verbindet und die Kopenhagener Friseure (33 Jahre Streik) mit Mozart (der in gleicher Zeit 1000 Meisterwerke schuf). Hier »Ihre« persönlichen Geburtstagsrekorde:

Am 26. September 1981 startete die schwerbehinderte Ingeborg Behrens (57) in Delmenhorst ihr Tipp-Marathon, das 220 geschlagene Stunden währte und ihr den Weltrekord im Dauer-Schreibmaschineschreiben einbrachte, von zwei total übermüdeten Augen und 10 gefühlstauben Fingerkuppen einmal abgesehen. Auf immerhin 4 Stunden und 29 Minuten brachte es Fidel Castro, der kubanische Staatspräsident und vollbärtige Amerika-Schreck, als er im New Yorker UNO-Palast vor der Vollversammlung die längste jemals dort abgeleistete Rede zum besten gab, und zwar am 26. September 1960. Der Delegierte der USA vernahm sie mit wachsendem Schrecken, der sowjetische UNO-Boschafter lauschte mit zunehmendem Wohlwollen. Mit einer Überraschung wartete Mutter Natur am 26. September 1950 über Mitteleuropa auf, von wo sich der gute, alte, gelbe Mond überaus bläulich ausnahm. Des Rätsels Lösung war ein gigantischer Waldbrand in Kanada, der die Atmosphäre mit Schwefelpartikeln übersäte...

Chronik unseres Jahrhunderts

Welt- und Kulturgeschichtliches von 1900–1980

Schlagzeilen	Kultur
1900 In Deutschland tritt Bürgerliches Gesetzbuch (BGB) in Kraft. Boxeraufstand in China niedergeschlagen. Erste Autodroschke in Berlin. Pariser Weltausstellung.	G. Hauptmann: Michael Kramer. Rilke: Geschichten vom lieben Gott. Puccini: Tosca. Sibelius: Finlandia. Max Planck begründet Quantentheorie. Erster Zeppelin.
1901 Friedens-Nobelpreis an H. Dunant und F. Passy. US-Präsident McKinley ermordet, Nachf. Th. Roosevelt. Ibn Saud erobert arab. Reich. Pers. Ölfelder erschlossen.	Physik-Nobelpreis an W. Röntgen. Th. Mann: Buddenbrooks. A. Schnitzler: Leutnant Gustl. I. Pawlow beginnt Tierexperimente. Erhaltenes Mammut in Sibirien gefunden.
1902 Italien erneuert Dreibund. L. Trotzki flieht aus Rußland. Südafrika brit. Kolonie. Frauenwahlrecht in Australien. Kuba Freistaat unter US-Protektorat.	Literatur-Nobelpreis an Th. Mommsen. Ibsen: Gesammelte Werke. D'Annunzio: Francesca da Rimini. Debussy: Pelleas et Melisande. Cushing: Erste Nervennaht.
1903 USA erwerben Panamakanalzone. Judenpogrome in Rußland. Ford gründet Autogesellschaft. Siemens-Schuckert-Werke gegründet. Erste Tour de France.	G. Hauptmann: Rose Bernd. G. Klimt: Deckengemälde in der Wiener Universität. Schnitzler: Reigen. Erster Motorflug der Brüder Wright. Steiff ersinnt Teddybär.
1904 Herero-Aufstand in Deutsch-Südwestafrika. Frz.-brit. »Entente cordiale«. Tagung der 2. Internationale in Amsterdam. Autofabrik Rolls Royce gegr. Daimler-Werk in Untertürkheim.	A. Holz: Daphnis. Puccini: Madame Butterfly. Th. Boveri entdeckt Chromosomen als Erbträger. M. Curie erforscht radioaktive Substanzen. Duncan gründet Tanzschule.
1905 Friedens-Nobelpreis an B. v. Suttner. Sieg Japans im Krieg gegen Rußland. Zar erläßt Verfassung. Bergarbeiterstreik im Ruhrgebiet. Schweizerische Nationalbank.	Gorki: Die Mutter. H. Mann: Professor Unrat. R. Strauss: Salomé. Erster (frz.) Film. Medizin-Nobelpreis an R. Koch für Tuberkuloseforschung. Elektr. Glühlampe.
1906 Friedens-Nobelpreis an Th. Roosevelt. Südafrika erhält von Großbritannien Recht auf Selbstverwaltung. A. Dreyfus freigesprochen. Schah gibt Persien Verfassung.	Erste internationale Konferenz für Krebsforschung in Heidelberg u. Frankfurt/Main. Größer Vesuvausbruch. Erdbeben und Großfeuer vernichten San Francisco.
1907 Allgemeines Wahlrecht in Österreich. Lenin flieht ins Ausland. Stalin überfällt Geldtransport für bolschewist. Parteikasse. Royal-Dutch-Shell-Gruppe gegründet.	Mahler geht an die Metropolitan Oper New York. Ido als reform. Esperanto. Picasso wendet sich dem Kubismus zu. C. Hagenbeck gründet Hamburger Tierpark.
1908 Hamburgisches Weltwirtschaftsarchiv. Österreich-Ungarn annektiert Bosnien und Herzegowina. Luftschiffbau Zeppelin. Einschlag eines Riesenmeteors in Sibirien.	Chemie-Nobelpreis an E. Rutherford (Radioaktivität). Freud: Charakter und Analerotik. Rilke: Neue Gedichte. G. E. Hale entdeckt Magnetfelder der Sonnenflecken.

Schlagzeilen	Kultur	
Neue dt. Verbrauchssteuern. Vorentwurf für neues dt. Strafgesetzbuch. Dt. Kfz-Gesetz. Schah flieht nach nationalist. Aufstand nach Rußland. Erste Dauerwelle.	Literatur-Nobelpreis an S. Lagerlöf. Duse verläßt Bühne. S. Diaghilew zeigt Ballet Russe in Paris. Mahler: 9. Symphonie. R. Strauss: Elektra. R. E. Peary am Nordpol.	1909
Japan annektiert Korea. Weltausstellung in Brüssel. China schafft Sklaverei ab. Erste Kleinepidemien an Kinderlähmung in England. Portugal wird Republik.	Strawinsky: Der Feuervogel. Karl May: Winnetou. Rilke: Aufzeichnungen des Malte Laurids Brigge. Manhattan-Brücke in New York. Käthe Kruse-Puppen.	1910
Reichsversicherungsordnung. Erstmalig Flugzeuge bei dt. Manövern. Regierungskrise in Österreich. Sozialversicherung in England. Kanada baut eigene Flotte.	Hofmannsthal: Der Rosenkavalier, Jedermann. Mahler: Das Lied von der Erde. A. Schönberg: Harmonielehre. R. Wagner: Mein Leben (postum). Erste dt. Pilotin.	1911
Dt. Kolonialbesitz 3 Mio. km² mit 12 Mio. Einwohnern. Untergang der Titanic. Erster engerer Kontakt Lenins mit Stalin. Beginn des Balkankrieges gegen die Türkei.	Literatur-Nobelpreis an G. Hauptmann. R. Strauss: Ariadne auf Naxos. Shaw: Pygmalion. Nofretete-Büste aufgefunden. Röntgenstrahlen. Nichtrostender Krupp-Stahl.	1912
Sylvia Pankhurst (engl. Suffragetten-Führerin) wiederholt festgenommen. Internationaler Gewerkschaftsbund in Amsterdam. Woodrow Wilson Präsident der USA.	Literatur-Nobelpreis an R. Tagore (Indien). Freud: Totem und Tabu. Strawinsky: Le Sacre du printemps. Th. Mann: Der Tod in Venedig. Alex. Behm: Echolot.	1913
Ausbruch des Ersten Weltkrieges. Übergang zum Stellungskrieg in West und Ost. Schlacht bei Tannenberg. Höhepunkt d. engl. Suffragettenbewegung. Gandhis Rückkehr nach Indien.	Th. Mann: Tonio Kröger. Erste dt. Abendvolkshochschulen. Jazz dringt in Tanzmusik ein. Sechsrollen-Rotationsmaschine druckt 200000 achtseitige Zeitungen/Stunde.	1914
Winterschlacht in den Masuren: russ. Armee vernichtet. Dt. Luftangriffe auf London u. Paris. Beginn der Isonzoschlachten. Verschärfter dt. U-Boot-Krieg.	Literatur-Nobelpreis an R. Rolland. Meyrink: Der Golem. Scheler: Vom Umsturz der Werte. Blüte des klass. New Orleans-Jazzstils, durch weiße Musiker Dixieland.	1915
Bildung dt. Fliegerjagdstaffeln. Anwendung hochwirksamer Gase an den Fronten. Entscheidungslose Seeschlacht vor dem Skagerrak. Gasmaske u. Stahlhelm im dt. Heer.	Kafka: Die Verwandlung. M. Liebermann: Die Phantasie in der Malerei. F. Sauerbruch konstruiert durch Gliedstumpfmuskeln bewegliche Prothesen.	1916
USA erklären Deutschland den Krieg. Uneingeschränkter dt. U-Boot-Krieg. G. Clémenceau frz. Ministerpräsident. Erschießung Mata Haris als dt. Spionin in Paris.	G. Benn: Mann u. Frau gehen durch eine Krebsbaracke. Hamsun: Segen der Erde. Pfitzner: Palestrina. O. Respighi: Le fontane di Roma. DIN-Ausschuß gegründet.	1917
Ende des Ersten Weltkrieges. Allgem. dt. Frauenstimmrecht. Gründung der KPD. Ungar. Republik ausgerufen. Gründung der Republiken Litauen, Estland u. Lettland.	Physik-Nobelpreis an M. Planck. H. Mann: Der Untertan. H. St. Chamberlain: Rasse und Nation. J. Péladan: Niedergang d. lat. Rasse. Film: Ein Hundeleben (Ch. Chaplin).	1918
R. Luxemburg u. K. Liebknecht von Rechtsradikalen ermordet. Ebert erster Reichspräsident. Friedensverträge von Versailles u. St. Germain. NSDAP gegründet.	R. Strauss: Frau ohne Schatten. K. Kraus: Die letzten Tage der Menschheit. V. Nijinskij geisteskrank. Abschaffung der Todesstrafe in Österr. Prohibition in den USA.	1919
Hitlers 25-Punkte-Programm im Münchener Hofbräuhaus. Ständiger Internat. Gerichtshof im Haag gegr. O. Bauer: Austromarxismus. Maul- u. Klauenseuche in Dtld.	Literatur-Nobelpreis an Hamsun. E. Jünger: In Stahlgewittern. Mallarmés Nachlaß erscheint. Strawinsky: Pulcinella. Dt. Lichtspielgesetz mit Filmzensur.	1920

Schlagzeilen	Kultur
1921 Erstes Auftreten der SA. Habsburger in Ungarn entthront. X. Parteitag der russ. Kommunisten bekräftigt Einheit der Partei. K.P. Atatürk verkündet Verfassung.	Physik-Nobelpreis an Einstein. A. Heusler: Nibelungensage. C. G. Jung: Psycholog. Typen. Kretschmer: Körperbau und Charakter. E. Munch: Der Kuß.
1922 Rathenau von Rechtsradikalen ermordet. Deutschlandlied Nationalhymne. Mussolini Ministerpräsident. Nansenpaß für staatenlose Flüchtlinge. Bildung der UdSSR.	Pius XI. Papst (bis 1939). Galsworthy: Forsyte-Saga. Hesse: Siddharta. J. Joyce: Ulysses. Spengler: Untergang des Abendlandes. A. Schönberg: Zwölftonmusik.
1923 Ruhrbesetzung durch Frankreich. Inflationshöhepunkt 1 $ = 4,2 Bill. RM. Hitler-Ludendorff-Putsch in München. Muttertag aus den USA. Erdbeben in Tokio.	Th. Mann: Felix Krull. Rilke: Duineser Elegien. Picasso: Frauen. Freud: Ich und Es. Erstes dt. Selbstwähler-Fernamt. Erste Polarstation der UdSSR.
1924 Hitler schreibt Mein Kampf. Attentat auf I. Seipel. G. Mateotti von Faschisten ermordet. Trotzki abgesetzt u. verbannt. 200000 illegale Abtreibungen/Jahr vermutet.	Th. Mann: Zauberberg. Gershwin: Rhapsodie in blue. Puccini: Turandot. Film: Nibelungen (F. Lang), Berg d. Schicksals (L. Trenker). Tod Mallorys u. Irvings am Mt. Everest.
1925 Friedens-Nobelpreis an Chamberlain u. Dawes. Neugründung der NSDAP. Bildung der SS. Verschärfung der faschist. Diktatur in Italien. Greenwichzeit Weltzeit.	Literatur-Nobelpreis an G. B. Shaw. F. S. Fitzgerald: Big Gatsby. A. Berg: Wozzek. Film: Ein Walzertraum, Goldrausch (Ch. Chaplin). Charleston »der« Tanz.
1926 Friedens-Nobelpreis an Briand u. Stresemann. SPD gegen Reichswehr. Hitlerjugend gegründet. Lord Halifax brit. Vizekönig in Indien. Mussolini »Duce«.	St. Zweig: Verwirrung d. Gefühle. Film: Metropolis (F. Lang), Faust (F. W. Murnau), Panzerkreuzer Potemkin (S. M. Eisenstein). Elektrische Schallplattentechnik.
1927 Arbeiterunruhen in Wien, Justizpalastbrand. Attentat auf Mussolini, Todesstrafe wieder eingeführt. Japan. Konflikt mit China. Erster Fünfjahresplan in der UdSSR.	Hesse: Steppenwolf. Zuckmayer: Schinderhannes. Heidegger: Sein und Zeit. Josephine Baker in Paris. Ch. A. Lindbergh überfliegt Nordatlantik nonstop.
1928 Reichs-Osthilfe für Ostpreußen. W. Miklas österr. Bundespräsident (bis 1938). St. Radic von serb. Radikalen ermordet. Tschiang Kaischek einigt China.	D. H. Lawrence: Lady Chatterley. St. Zweig: Sternstunden d. Menschheit. Disneys erste Micky-Maus-Stummfilme. Ravel: Bolero. Weill: Dreigroschenoper.
1929 Himmler Reichsführer SS. Trotzki ausgewiesen. Börsenkrach, Weltwirtschaftskrise (bis ca. 1933). Indien fordert Unabhängigkeit. Stalin Alleinherrscher.	Literatur-Nobelpreis an Th. Mann. Döblin: Berlin Alexanderplatz. Weill: Mahagonny. Tonfilm. Erste Fernsehsendung in Berlin. Fleming: Penicillin-Forschung.
1930 Rücktritt Regierung Müller. Brüning neuer Reichskanzler. Erster NS-Minister in Thüringen. Österr.-ital. Freundschaftsvertr. Bau d. frz. Maginotlinie.	Ortega y Gasset: Aufstand der Massen. Hesse: Narziß und Goldmund. Musil: Mann ohne Eigenschaften. Film: Der blaue Engel. Schmeling Boxweltmeister.
1931 Verbot einer dt.-österr. Zollunion. Harzburger Front: Bündnis v. Konservativen u. NSDAP. Hoover-Moratorium für internat. Zahlungen. Spanien Republik.	Enzyklika »Quadragesimo anno«. Broch: Die Schlafwandler. Carossa: Arzt Gion. Kästner: Fabian. † Schnitzler, österr. Dichter. Film: Lichter der Großstadt.
1932 Reichspräs. Hindenburg wiedergewählt. Absetzung der preuß. Regierung. Wahlsieg der NSDAP. Ende der Reparationszahlungen. Lindbergh-Baby entführt.	Physik-Nobelpreis an Heisenberg. Brecht: Heilige Johanna. A. Schönberg: Moses u. Aaron (Oper). Film: M, Der träumende Mund. Olympische Spiele in Los Angeles.

Schlagzeilen	Kultur	
Hitler Reichskanzler (»Machtergreifung«). Reichstagsbrand. Goebbels Propagandaminister. Zerschlagung der Gewerkschaften und Parteien in Deutschland.	Dt. Konkordat mit dem Vatikan. Bücherverbrennung in Berlin. † St. George, dt. Dichter. R. Strauss: Arabella. Film: Hitlerjunge Quex, Königin Christine.	1933
Ermordung der SA-Führung u. vieler Regimegegner beim sog. Röhm-Putsch. Tod Hindenburgs. Hitler Alleinherrscher. Diplomatische Beziehungen USA-UdSSR.	Barmer Bekenntnissynode. † M. Curie, frz. Physikerin. P. Hindemith: Mathis der Maler (Symphonie). Film: Maskerade. Gangster Dillinger in den USA erschossen.	1934
Friedens-Nobelpreis für Ossietzky (im KZ). Saarland wieder dt. Allg. Wehrpflicht in Deutschland. Dt.-engl. Flottenabkommen. Antijüd. Nürnberger Gesetze.	H. Mann: Henri Quatre. Chagall: Verwundeter Vogel (Gemälde). Egk: Die Zaubergeige (Oper). Film: Anna Karenina, Pygmalion. Erfindung der Hammond-Orgel.	1935
Besetzung des Rheinlands durch dt. Truppen. Volksfrontregierung in Frankreich. Annexion Abessiniens durch Italien. Beginn des span. Bürgerkrieges.	Großrechenmaschine von K. Zuse. Th. Mann ausgebürgert. E. Jünger: Afrikanische Spiele. Film: Traumulus, Moderne Zeiten. Olympische Spiele in Berlin.	1936
»Achse« Berlin–Rom. Stalinist. »Säuberungen« in der UdSSR. Beginn des japan.-chines. Krieges. Holländische Prinzessin Juliana heiratet Prinz Bernhard.	Verhaftung Pfarrer Niemöllers. Klepper: Der Vater. Picasso: Guernica (Gemälde). Orff: Carmina Burana (Kantate). Film: Die Kreutzersonate, Der zerbrochene Krug.	1937
Anschluß Österr. an Deutschland. Münchener Abkommen der Großmächte: ČSR tritt Sudetenland an Deutschland ab. Judenverfolgung in der sog. Reichskristallnacht.	† Barlach, dt. Künstler. Sartre: Der Ekel. Scholochow: Der Stille Don. Film: Tanz auf dem Vulkan. Urankernspaltung durch Hahn und Straßmann.	1938
Zerschlagung der »Resttschechei«. Rückkehr des Memelgebietes zum Dt. Reich. Hitler-Stalin-Pakt. Ausbruch 2. Weltkrieg. Dt. Sieg über Polen (»Blitzkrieg«).	Pacelli als Papst Pius XII. † Freud, österr. Psychologe. Th. Mann: Lotte in Weimar. Seghers: Das siebte Kreuz. Film: Bel ami. 800-m-Weltrekord durch Harbig.	1939
Dänemark u. Norwegen von dt. Truppen besetzt. Dt. Sieg über Holland, Belgien, Frankreich. Luftschlacht um England. Pétain frz. Staatschef. Churchill brit. Premier.	Hemingway: Wem die Stunde schlägt. R. Strauss: Liebe der Danae (Oper). † Klee, dt. Maler. Film: Jud Süß, Der große Diktator. Winterhilfswerk in Deutschland.	1940
Dt. Afrika-Korps unter Rommel. Dt. Truppen erobern Jugoslawien, Griechenland. Dt. Angriff auf UdSSR. Kriegseintritt der USA nach japan. Überfall auf Pearl Harbor.	Brecht: Mutter Courage. Werfel: Das Lied von Bernadette. Film: Reitet für Deutschland, Friedemann Bach, Citizen Kane. Schlager: Lili Marleen.	1941
Schlacht um Stalingrad. NS-Programm zur Judenvernichtung. Dt. Sieg in Tobruk, Niederlage bei El Alamein. US-Seesieg bei den Midway Inseln über Japan.	Freitod St. Zweig, dt. Dichter. Lindgren: Pippi Langstrumpf. Schostakowitsch: 7. Symphonie. Film: Bambi, Diesel. US-Atombombenprogramm.	1942
Kapitulation der dt. Stalingradarmee u. des Afrikakorps. Zusammenbruch Italiens. Großangriff auf Hamburg. Ende der Widerstandsgruppe »Weiße Rose«.	Hesse: Das Glasperlenspiel. Th. Mann: Josephsromane. † Reinhardt, dt. Regisseur. Orff: Die Kluge. Erster dt. Farbfilm (Münchhausen). Frankfurter Zeitung verboten.	1943
Rote Armee an der Weichsel. Invasion der Alliierten in Frankreich. Attentat auf Hitler scheitert am 20. Juli. Aufstand in Warschau. Raketenangriffe auf England.	Chemie-Nobelpreis an O. Hahn. Giraudoux: Die Irre von Chaillot. Sartre: Hinter verschlossenen Türen. † Kandinsky, russ. Maler. Film: Große Freiheit Nr. 7.	1944

Schlagzeilen	Kultur
1945 Selbstmord Hitlers. Bedingungslose Kapitulation Deutschlands. Gründung der UN. Atombomben auf Japan. 2. Weltkrieg beendet. Vertreibung der ostdt. Bevölkerung.	Steinbeck: Straße der Ölsardinen. † Werfel, österr. Dichter. Britten: Peter Grimes (Oper). Film: Kolberg, Kinder des Olymp. Demontage u. Schwarzmarkt in Deutschland.
1946 Adenauer CDU-, Schumacher SPD-Vorsitzender. Urteile im Nürnberger Kriegsverbrecher-Prozeß. Entnazifizierung. Bildung der ostdt. SED. Italien Republik.	Literatur-Nobelpreis an Hesse. † Hauptmann, dt. Dichter. Zuckmayer: Des Teufels General. rororo-Taschenbücher im Zeitungsdruck. VW-Serienproduktion.
1947 Bildung der amerik.-brit. Bizone. Auflösung Preußens. US-Hilfe für Europa durch Marshall-Plan. UN-Teilungsplan für Palästina. Indien unabhängig.	Benn: Statische Gedichte. Borchert: Draußen vor der Tür. Th. Mann: Dr. Faustus. Bildung der Gruppe 47. Floßüberquerung des Pazifik durch Heyerdahl. New-Look-Mode.
1948 Blockade Berlins. Versorgung durch Luftbrücke. Währungsreform in dt. Westzonen. Gründung Israels. Gandhi ermordet. Konflikt Tito-Stalin.	Freie Universität Berlin gegründet. Kinsey-Report über Sexualität. Brecht: Puntila. Mailer: Die Nackten und die Toten. Film: Bitterer Reis, Berliner Ballade.
1949 Bildung von BRD und DDR, Adenauer erster Bundeskanzler, Heuss erster Bundespräsident. Griech. Bürgerkrieg beendet. Gründung der NATO. China Volksrepublik.	Ceram: Götter, Gräber u. Gelehrte. Jünger: Strahlungen. Orwell: 1984. † R. Strauss, dt. Komponist. Film: Der dritte Mann. Erstes SOS-Kinderdorf.
1950 Dt. Beitritt zum Europarat. Vietminh-Aufstand in Indochina gegen Frankreich. Indonesien unabhängig. Beginn des Korea-Krieges. Tibet von China besetzt.	Dogma von der Himmelfahrt Mariae. Ionesco: Die kahle Sängerin. † H. Mann, dt. Dichter. Film: Orphée (Cocteau), Schwarzwaldmädel, Herrliche Zeiten.
1951 Bildung der Montanunion. Eröffnung des Bundesverfassungsgerichts. UN-Oberbefehlshaber in Korea Mac Arthur abgesetzt. Friedensvertrag USA-Japan.	Gollwitzer: Und führen, wohin du nicht willst. Faulkner: Requiem für eine Nonne. Film: Ein Amerikaner in Paris, Grün ist die Heide. Herz-Lungen-Maschine erfunden.
1952 Deutschlandvertrag. Helgoland wieder dt. Wiedergutmachungsabkommen BRD-Israel. † Schumacher, SPD-Vors. Elisabeth II. Königin von England.	Friedens-Nobelpreis an Schweitzer. Beckett: Warten auf Godot. Hemingway: Der alte Mann und das Meer. Film: Lilli, Rampenlicht. Deutschland wieder bei Olymp. Spielen.
1953 Aufstand in der DDR. Wahlsieg der CDU. † Stalin, sowjet. Diktator. Waffenstillstand in Korea. Mau-Mau-Aufstand. Iran. Regierung gestürzt.	Heidegger: Einführung in die Metaphysik. Koeppen: Treibhaus. Henze: Landarzt (Funkoper). Film: Ein Herz und eine Krone. Erstbesteigung des Mount Everest.
1954 Pariser Verträge: Dt. Wiederbewaffnung. Aufstand in Algerien. Frz. Niederlage bei Dien Bien Phu: Teilung Indochinas. Kommunistenverfolgung in USA.	Th. Mann: Felix Krull (Ergänzung). Hartung: Piroschka. Liebermann: Penelope (Oper). Film: Die Faust im Nacken, La Strada. Rock'n' Roll. Deutschland Fußballweltmeister.
1955 Bildung des Warschauer Pakts. Adenauer in Moskau: Rückkehr der letzten Kriegsgefangenen, diplomat. Beziehungen mit UdSSR. Österr. Staatsvertrag.	† Einstein, dt.-amerik. Physiker, Th. Mann, dt. Dichter. Nabokov: Lolita. Film: Tätowierte Rose, Rififi, Ladykillers. Polio-Schluckimpfung. BMW-Isetta.
1956 Verbot der KPD. 20. Parteitag der KPdSU: Entstalinisierung. Volksaufstand in Ungarn. Israel besetzt den Sinai. Engl.-frz. Angriff auf Ägypten (Suez-Krise).	Bloch: Prinzip Hoffnung. † Brecht, dt. Dichter. Dürrenmatt: Besuch der alten Dame. Film: Der Hauptmann von Köpenick. Erstes Kernkraftwerk in England.

Schlagzeilen	Kultur	
Saarland 10. Bundesland. Absolute CDU-Mehrheit im Bundestag. Rapacki-Plan für atomwaffenfreie Zone. Sowjet. Sputnik-Satelliten, Mißerfolge der USA.	Heisenberg: Weltformel. Beckett: Endspiel. Frisch: Homo Faber. Fortner: Bluthochzeit (Oper). Film: Ariane, Die Brücke am Kwai. »Pamir« gesunken.	1957
Gründung der EWG. Berlin-Ultimatum der UdSSR. De Gaulle erster Staatspräsident der V. frz. Republik. Intervention der USA im Libanon. Scheidung Schah/Soraya.	† Papst Pius XII., Nachf. Johannes XXIII. Pasternak: Dr. Schiwago. Uris: Exodus. Henze: Undine (Ballett). Film: Wir Wunderkinder. Stereo-Schallplatte.	1958
Lübke 2. Bundespräsident. Godesberger Programm der SPD. Chruschtschow verkündet Politik der friedl. Koexistenz. Sieg der kuban. Revolution unter Castro.	Böll: Billard um halb zehn. Grass: Die Blechtrommel. Ionesco: Die Nashörner. Film: Rosen für den Staatsanwalt, Die Brücke, Dolce vita. Sowjetische Mondsonden.	1959
MdB Frenzel als Spion entlarvt. Kennedy zum US-Präs. gewählt. Frz. Atomstreitmacht (Force de frappe). Abschuß eines US-Aufklärers über UdSSR. Kongo-Unruhen.	Walser: Halbzeit. Sartre: Die Eingeschlossenen. Film: Glas Wasser, Psycho, Frühstück bei Tiffany. Privatisierung des VW-Werkes. Hary 10,0 Sek. auf 100 m.	1960
Berliner Mauer. CDU verliert absolute Mehrheit. Rebellion frz. Generäle in Algerien. Ermordung Lumumbas. US-unterstützte Schweinebucht-Landung auf Kuba gescheitert.	Amnesty International gegründet. Physik-Nobelpreis an Mössbauer. Neubau Berliner Gedächtniskirche. Frisch: Andorra. Gagarin erster Mensch in Erdumlaufbahn.	1961
Deutschlandbesuch De Gaulles. »Spiegel«-Affäre: Sturz v. Verteidigungsminister Strauß. Algerien unabhängig. Kuba-Krise: USA erzwingen Abbau sowjet. Raketen.	II. Vatikan. Konzil. Dürrenmatt: Die Physiker. † Hesse, dt. Dichter. Film: Dreigroschenoper. † Marilyn Monroe, US-Filmstar. Sturmflutkatastrophe in Hamburg.	1962
Dt.-frz. Freundschaftsvertrag. Kennedy in Deutschland. Rücktritt Adenauers, Erhard neuer Bundeskanzler. Kennedy ermordet. † Heuss, 1. Bundespräsident.	† Papst Johannes XXIII., Nachf. Paul VI. Hochhuth: Der Stellvertreter. † Gründgens, dt. Schauspieler. Film: Das Schweigen, Die Vögel. Fußball-Bundesliga.	1963
Brandt SPD-Vors. Diplomat. Beziehungen Frankreich-Rotchina. Sturz Chruschtschows, Nachf. Breschnew/Kossygin. Johnson US-Präsident. Erste chines. Atombombe.	Sartre lehnt Literatur-Nobelpreis ab. Kipphardt: Oppenheimer. Frisch: Gantenbein. Film: Alexis Sorbas. Nachrichten-Satelliten. Mond- und Planetensonden.	1964
Diplomat. Beziehungen BRD-Israel. † Churchill, brit. Politiker. Blutige Kommunisten-Verfolgung in Indonesien. US-Luftangriffe auf Nordvietnam.	† Schweitzer, dt. Philantrop. Weiss: Die Ermittlung. Henze: Der junge Lord. »Ring«-Inszenierung W.Wagners. Film: Katelbach. 1. Weltraumspaziergang.	1965
Rücktritt von Bundeskanzler Erhard. Große Koalition CDU/CSU–SPD unter Kanzler Kiesinger. Wahlerfolge der NPD. »Kulturrevolution« in der VR China.	Böll: Ende einer Dienstfahrt. Walser: Einhorn. Penderecki: Lukas-Passion. Film: Abschied von gestern. Weiche Mondlandungen. Dt. Mannschaft 2. bei Fußball-WM.	1966
† Adenauer, 1. Bundeskanzler. Unruhen bei Schah-Besuch in Berlin: Tod eines Studenten. Israels Sieg im 6-Tage-Krieg. Militärputsch in Griechenland.	Chemie-Nobelpreis an Eigen. Film: Zur Sache Schätzchen, Rosemaries Baby. 1. Herztransplantation. ZdF und ARD starten Farbfernsehen. Raumfahrtunfälle.	1967
Notstandsgesetze in der BRD. Attentat auf Studentenführer Dutschke. Mai-Unruhen in Paris. Sowjet. Einmarsch in ČSSR beendet »Prager Frühling«.	Papst gegen künstl. Geburtenkontrolle. † Barth, schweiz. Theologe. Lenz: Deutschstunde. Solschenizyn: Krebsstation. Apollo 8 mit 3 Astronauten in Mondumlaufbahn.	1968

	Schlagzeilen	Kultur
1969	Heinemann Bundespräsident. Brandt Kanzler einer SPD/FDP-Koalition. Rücktritt des frz. Präsidenten de Gaulle. Grenzkonflikt UdSSR–China am Ussuri.	Grass: Örtlich betäubt. Britten: Kinderkreuzzug (Musikal. Ballade). US-Astronaut Armstrong erster Mensch auf dem Mond. Stiftung des Wirtschafts-Nobelpreises.
1970	Treffen Brandt-Stoph in Erfurt. Gewaltverzichtsvertrag UdSSR-BRD. † de Gaulle, frz. Politiker. Kapitulation Biafras: Ende des nigerian. Bürgerkriegs.	Arno Schmidt: Zettels Traum. † Russell, brit. Gelehrter. Abbruch der Mondmission Apollo 13. Ende des Contergan-Prozesses. Deutschland 3. bei Fußball-WM in Mexiko.
1971	Anschläge der Baader-Meinhof-Terroristen. Viermächte-Abkommen über Berlin. Rücktritt von SED-Chef Ulbricht. Prozeß wegen der Morde von US-Soldaten in My Lai.	Friedens-Nobelpreis für Brandt. Bachmann: Malina. † Strawinsky, russ. Komponist. Film: Uhrwerk Orange; Tod in Venedig. Bundesliga-Skandal um Bestechungen.
1972	Extremistenbeschluß. Verhaftung der Baader-Meinhof-Terroristen. Ostverträge ratifiziert. Erfolgloses Mißtrauensvotum gegen Kanzler Brandt. SPD-Wahlsieg.	Club of Rome: Grenzen des Wachstums. Literatur-Nobelpreis an Böll. Film: Cabaret. Arab. Überfall auf israel. Mannschaft bei Olympischen Spielen in München.
1973	DDR und BRD UN-Mitglieder. † Ulbricht, DDR-Politiker. Yom-Kippur-Krieg: Ölkrise. US-Rückzug aus Vietnam. Chilen. Präsident Allende bei Putsch ermordet.	Fest: Hitler. † Picasso, span. Maler. Film: Das große Fressen. Sonntagsfahrverbote wegen Ölkrise. BRD-Gebietsreform. »Floating« statt fester Wechselkurse.
1974	Scheel Bundespräsident. Rücktritt Kanzler Brandts, Nachf. Schmidt. Austausch ständiger Vertr. DDR/BRD. Sturz v. US-Präsident Nixon. Ende der griech. Militärjunta.	Dessau: Einstein (Oper). Filme: Szenen einer Ehe; Chinatown. Volljährigkeit auf 18 Jahre gesenkt. VW beendet Käfer-Produktion. Deutschland Fußballweltmeister.
1975	Entführung des CDU-Politikers Lorenz. Terroranschlag auf dt. Botschaft in Stockholm. † Franco, span. Diktator. † Kaiser Haile Selassie, Äthiopien Republik.	Bernhard: Der Präsident. Weiß: Der Prozeß. Kagel: Mare nostrum. Film: Katharina Blum. Demonstrationen gegen Kernkraftwerke. Märkisches Viertel in Berlin fertig.
1976	Krise zwischen CDU und CSU. Schmidt erneut Bundeskanzler. Israel. Kommandounternehmen in Entebbe gegen Geiselnehmer. † Mao, chines. Politiker.	† Heidegger, dt. Philosoph. DDR bürgert Liedermacher Biermann aus. Film: Einer flog übers Kuckucksnest. Letzte Dampfloks der Bundesbahn. Neues dt. Eherecht.
1977	Arbeitgeberpräs. Schleyer entführt. Erstürmung von gekaperter Lufthansa-Maschine. Selbstmord inhaftierter dt. Terroristen. Ägypt. Präsident Sadat in Israel.	† Bloch, dt. Philosoph. Grass: Der Butt. Letztes Treffen der Gruppe 47. Centre Pompidou in Paris. † Presley, US-Rockstar. † Herberger, dt. Fußballtrainer.
1978	Frieden Israel–Ägypten. Ital. Politiker Moro entführt und ermordet. Krieg Vietnam-Kambodscha. Massenselbstmord der Volkstempelsekte in Guyana.	Poln. Kardinal Woytila neuer Papst Johannes Paul II. Penderecki: Paradise lost (Oper). Film: Deutschland im Herbst. Jähn (DDR) erster Deutscher im Weltraum.
1979	Carstens Bundespräsident. 1. Direktwahl zum Europa-Parlament. Schiitenführer Khomeini stürzt Schah. UdSSR-Invasion in Afghanistan. Krieg China–Vietnam.	US-Fernsehserie Holocaust in der BRD. Moore-Plastiken für Kanzleramt. Film: Maria Braun. Reaktorunfall in Harrisburg (USA). Aufhebung der Mordverjährung.
1980	Verluste der CDU mit Kanzlerkandidat Strauß. Erfolge der »Grünen«. Bildung d. poln. Gewerkschaft Solidarität. Krieg Irak–Iran. † Tito, jugoslaw. Politiker.	Papst-Besuch in Deutschland. † Sartre, frz. Philosoph. Ermordung Lennons, brit. Musiker. Fernsehserie: Berlin Alexanderplatz. Boykott der Olympischen Spiele in Moskau.

1889–1976 Martin Heidegger

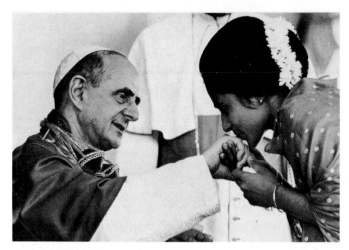

1897–1978 Papst Paul VI. zu Besuch in Bombay 1964

* 1942 Ingrid Mickler-Becker, mit Franz Keller

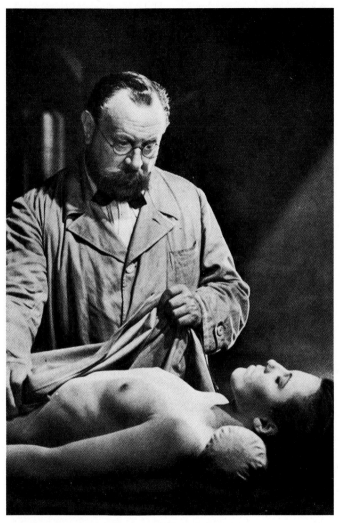

1939 Emil Jannings in »Robert Koch, Bekämpfer des Todes«

1898–1937
George Gershwin

Sammy Davis (Mitte) verhalf
der Verfilmung von
Gershwins Musical
»Porgy and Bess« 1959
zu einem großen
Kassenerfolg

1815 Heilige Allianz:

Zar Alexander I., Kaiser Franz I. und Friedrich Wilhelm III.

1861–1935 Carl Duisberg.
Porträtbüste von Adolf von Hildebrandt

Unterhaltsames
zum 26. September

Theodor Storm

Herbst

Schon ins Land der Pyramiden
Flohn die Störche übers Meer;
Schwalbenflug ist längst geschieden,
Auch die Lerche singt nicht mehr.

Seufzend in geheimer Klage
Streift der Wind das letzte Grün;
Und die süßen Sommertage,
Ach, sie sind dahin, dahin!

Nebel hat den Wald verschlungen,
Der dein stillstes Glück gesehn;
Ganz in Duft und Dämmerungen
Will die schöne Welt vergehn.

Nur noch einmal bricht die Sonne
Unaufhaltsam durch den Duft,
Und ein Strahl der alten Wonne
Rieselt über Tal und Kluft.

Und es leuchten Wald und Heide,
Daß man sicher glauben mag,
Hinter allem Winterleide
Lieg' ein ferner Frühlingstag.

Theodor Storm

Wenn die Äpfel reif sind

Es war mitten in der Nacht. Hinter den Linden, die längs dem Plankenzaun des Gartens standen, kam eben der Mond herauf und leuchtete durch die Spitzen der Obstbäume und drüben auf die Hinterwand des Hauses, bis hinunter auf den schmalen Steinhof, der durch ein Staket von dem Garten getrennt war; die weißen Vorhänge hinter dem niedrigen Fensterchen waren ganz von seinem Licht beschienen. Mitunter war's, als griffe eine kleine Hand hindurch und zöge sie heimlich auseinander; einmal sogar lehnte die Gestalt eines Mädchens an die Fensterbank. Sie hatte ein weißes Tüchlein unters Kinn geknotet und hielt eine kleine Damenuhr gegen das Mondlicht, auf der sie das Rücken des Weisers aufmerksam zu betrachten schien. Draußen vom Kirchturm schlug es eben drei Viertel.

Unten zwischen den Büschen des Gartens auf den Steigen und Rasenplätzen war es dunkel und still; nur der Marder, der in den Zwetschen saß, schmatzte bei seiner Mahlzeit und kratzte mit den Klauen in die Baumrinde. Plötzlich hob er die Schnauze. Es rutschte etwas draußen an der Planke; ein dicker Kopf guckte herüber. Der Marder sprang mit einem Satz zu Boden und verschwand zwi-

schen den Häusern; von drüben aber kletterte ein unter-
setzter Junge langsam in den Garten hinab.

Dem Zwetschenbaum gegenüber, unweit der Planke, stand ein nicht gar hoher Augustapfelbaum; die Äpfel waren grade reif, die Zweige brechend voll. Der Junge mußte ihn schon kennen; denn er grinste und nickte ihm zu, während er auf den Fußspitzen an allen Seiten um ihn herumging; dann, nachdem er einige Augenblicke still gestanden und gelauscht hatte, band er sich einen großen Sack vom Leibe und fing bedächtig an zu klettern. Bald knickte es droben zwischen den Zweigen und die Äpfel fielen in den Sack, einer um den andern in kurzen regel-rechten Pausen.

Dazwischen drein geschah es, daß ein Apfel nebenbei zur Erde fiel und ein paar Schritte weiter ins Gebüsch rollte, wo ganz versteckt eine Bank vor einem steinernen Gartentischchen stand. An diesem Tische aber – und das hatte der Junge nicht bedacht – saß ein junger Mann mit aufgestütztem Arm und gänzlich regungslos. Als der Ap-fel seine Füße berührte, sprang er erschrocken auf; einen Augenblick später trat er vorsichtig auf den Steig hinaus. Da sah er droben, wohin der Mond schien, einen Zweig mit roten Äpfeln unmerklich erst und bald immer hefti-ger hin und her schaukeln; eine Hand fuhr in den Mond-schein hinauf und verschwand gleich darauf wieder samt einem Apfel in den tiefen Schatten der Blätter.

Der Untenstehende schlich sich leise unter den Baum, und gewahrte nun endlich auch den Jungen wie eine große schwarze Raupe um den Stamm herumhängen. Ob er ein Jäger war, ist seines kleinen Schnurrbartes und sei-nes ausgeschweiften Jagdrockes unerachtet schwer zu sagen; in diesem Augenblicke aber mußte ihn so etwas wie ein Jagdfieber überkommen; denn atemlos, als habe er die halbe Nacht hier nur gewartet, um die Jungen in den Apfelbäumen zu fangen, griff er durch die Zweige und legte leise, aber fest, seine Hand um den Stiefel, welcher wehrlos an dem Stamme herunterhing. Der Stiefel zuckte, das Apfelpflücken droben hörte auf; aber kein Wort wurde gewechselt. Der Junge zog, der Jäger faßte nach; so ging es eine ganze Weile; endlich legte der Junge sich aufs Bitten.

»Lieber Herr!«

»Spitzbube!«

»Den ganzen Sommer haben sie über den Zaun geguckt!«

»Wart nur, ich werde dir einen Denkzettel machen!« Und dabei griff er in die Höhe und packte den Jungen in den Hosenspiegel. »Was das denn für derbes Zeug ist!« sagte er.

»Manchester, lieber Herr!«

Der Jäger zog ein Messer aus der Tasche und suchte mit der freien Hand die Klinge aufzumachen. Als der Junge das Einschnappen der Feder hörte, machte er Anstalten, hinabzuklettern. Allein der andere wehrte ihm. »Bleib nur!« sagte er, »du hängst mir eben recht!«

Der Junge schien gänzlich wie verlesen. »Herrjemine!« sagte er. »Es sind des Meisters seine! – Haben Sie denn gar kein Stöckchen, lieber Herr? Sie könnten es mit mir alleine abmachen! Es ist mehr Pläsier dabei; es ist eine Motion; der Meister sagt, es ist so gut wie Spazierenreiten!«

Allein – der Jäger schnitt. Der Junge, als er das kalte Messer so dicht an seinem Fleisch heruntergleiten fühlte, ließ den vollen Sack zur Erde fallen; der andere aber steckte den ausgeschnittenen Flecken sorgfältig in die Westentasche. »Nun kannst du allenfalls herunterkommen!« sagte er.

Er erhielt keine Antwort. Ein Augenblick nach dem andern verging; aber der Junge kam nicht. Von seiner Höhe aus hatte er plötzlich, während ihm von unten her das Leid geschah, im Hause drüben das schmale Fensterchen sich öffnen sehen. Ein kleiner Fuß streckte sich heraus – der Junge sah den weißen Strumpf im Mondschein leuchten – und bald stand ein vollständiges Mädchen draußen auf dem Steinhof. Ein Weilchen hielt sie mit der Hand den offenen Fensterflügel; dann ging sie langsam an das Pförtchen des Staketenzaunes und lehnte sich mit halbem Leibe in den dunklen Garten hinaus.

Der Junge renkte sich fast den Hals aus, um das alles zu betrachten. Dabei schienen ihm allerlei Gedanken zu kommen; denn er verzog den Mund bis an die Ohren und stellte sich breitspurig auf zwei gegenüberstehende Äste, während er mit der einen Hand das geschädigte Kleidungsstück zusammenhielt.

»Nun, wird's bald?« fragte der andere.

»Es wird schon«, sagte der Junge.

»So komm herunter!«

»Es ist nur«, erwiderte der Junge, und biß in einen Apfel, daß der Jäger es unten knirschen hörte, »es ist nur, daß ich just ein Schuster bin!«

»Was denn, wenn du kein Schuster wärst?«

»Wenn ich ein Schneider wäre, würde ich mir das Loch von selber flicken.« Und er fuhr fort seinen Apfel zu verspeisen.

Der junge Mann suchte in seiner Tasche nach kleiner Münze, aber er fand nur einen harten Doppeltaler. Schon wollte er die Hand zurückziehen, als er von unten her ganz deutlich ein Klinken an der Gartentür vernahm. Auf dem Kirchturm drüben schlug es eben zwölf. – Er fuhr zusammen. »Dummkopf!« murmelte er und schlug sich vor die Stirn. Dann griff er wieder in die Tasche und sagte sanft: »Du bist wohl armer Leute Kind?«

»Sie wissen schon«, sagte der Junge, »'s wird alles sauer verdient.«

»So fang und laß dir flicken!« Damit warf er das Geldstück zu ihm hinauf. Der Junge griff zu, wandte es prüfend im Mondschein hin und wider und schob es schmunzelnd in die Tasche. Draußen auf dem langen Steige, an dem der Apfelbaum in den Rabatten stand, wurden kleine Schritte vernehmlich und das Rauschen eines Kleides auf dem Sande. Der Jäger biß sich in die Lippen; er wollte den Jungen mit Gewalt herunterreißen; der aber zog sorgsam die Beine in die Höhe, eins ums andere; es war vergebene Mühe. »Hörst du nicht?« sagte er keuchend. »Du kannst nun gehen!«

»Freilich«, sagte der Junge, »wenn ich den Sack nur hätte!«

»Den Sack?«

»Er ist mir da vorher hinabgefallen.«

»Was geht das mich an?«

»Nun, lieber Herr, Sie stehen just da unten!«

Der andere bückte sich nach dem Sack, hob ihn ein Stück vom Boden und ließ ihn wieder fallen.

»Werfen Sie dreist zu!« sagte der Junge, »ich werde schon fangen.«

Der Jäger tat einen verzweifelten Blick in den Baum hinauf, wo die dunkle, untersetzte Gestalt zwischen den Zweigen stand, sperrbeinig und bewegungslos. Als aber draußen die kleinen Schritte in kurzen Pausen immer näher kamen, trat er hastig auf den Steig hinaus.

Ehe er sich's versah, hing auch schon ein Mädchen an seinem Halse.

»Heinrich!«

»Um Gottes willen!« Er hielt ihr den Mund zu und zeigte in den Baum hinauf. Sie sah ihn mit verdutzten Augen an; aber er achtete nicht darauf, sondern schob sie mit beiden Händen ins Gebüsch.

»Junge, vermaledeiter! – Aber daß du mir nicht wiederkommst!« Und er erwischte den schweren Sack am Boden und hob ihn ächzend in den Baum hinauf.

»Ja, ja«, sagte der Junge, indem er dem andern behutsam seine Bürde aus den Händen nahm, »das sind von den roten, die fallen ins Gewicht!« Hierauf zog er ein Endchen Bindfaden aus der Tasche und schnürte es eine Spanne oberhalb der Äpfel um den Sack, während er mit den Zähnen die Zipfel desselben angezogen hielt; dann lud er ihn auf seine Schulter, sorgsam und regelrecht, so daß die Last gleichmäßig auf Brust und Rücken verteilt wurde. Nachdem dieses Geschäft zu seiner Zufriedenheit beendet war, faßte er einen ihm zu Häupten ragenden Ast und schüttelte ihn mit beiden Fäusten. »Diebe in den Äpfeln!« schrie er; und nach allen Seiten hin prasselten die reifen Früchte durch die Zweige.

Unter ihm rauschte es in den Büschen, eine Mädchenstimme kreischte, die Gartenpforte klirrte, und als der Junge noch einmal den Hals ausreckte, sah er soeben das kleine Fenster wieder zuklappen und den weißen Strumpf darin verschwinden.

Einen Augenblick später saß er rittlings auf der Gartenplanke und lugte den Weg entlang, wo sein neuer Bekannter mit langen Beinen in den Mondschein hinauslief. Dabei griff er in die Tasche, befingerte seine Silbermünze und lachte so ingrimmig in sich hinein, daß ihm die Äpfel auf dem Buckel tanzten. Endlich, als schon die ganze Hausgenossenschaft mit Stöcken und Laternen im Garten umherrannte, ließ er sich lautlos an der andern Seite hinuntergleiten und schlenderte über den Weg in den Nachbarsgarten, allwo er zu Haus war.

Thomas Stearns Eliot (1888)

Die Reise des Weisen

»Eine kalte Ankunft ward uns.
Es war die übelste Jahreszeit
Für eine Reise, eine so weite Reise;
Die Wege grundlos und das Wetter rauh,
Winter des Todes, wahrlich.«
Und die Kamele rieben sich wund und wurden störrisch

Und ließen sich in den verfließenden Schnee nieder.
Es gab Stunden, da wir uns zurückwünschten
In den Sommerpalast auf den Hängen, auf die Terrassen,
Wo Mädchen, in Seide schimmernd, uns den Sorbet
reichten.
Sodann die murrenden und fluchenden Kameltreiber,
Und jene, die uns fortblieben, in einer Schenke oder bei
Frauen,
Lagerfeuer, die erloschen, Mangel an Obdach,
Feindselige Städte, ablehnende Flecken,
Schmutzige Dörfer, die hohe Preise verlangten:
Eine harte Zeit hatten wir auf uns genommen.
Zuletzt ward beschlossen, auch in den Nächten zu reisen,
Man schlief nur für Augenblicke,
Im Ohr noch die Zurufe, welche besagten,
All dies sei Narrheit.

In einer Dämmerung dann ging's hinab in ein Tal,
Feucht, unter der Schneegrenze, drin es nach Pflanzen-
wuchs roch,
Mit einem schmelzenden Fluß und einer Wassermühle,
die in der Finsternis
Rauschte, und drei Bäumen gegen den späten Himmel.
Ein alter Schimmel lief über die Wiese davon.
Und wir trafen auf eine Schenke mit Weinlaub über dem
Eingang,
Sechs Hände würfelten in der offenen Tür um Silbergeld,
Und Füße traten die leeren Weinschläuche.
Aber dort wußte man nichts, und also zogen wir weiter
Und waren am Abend und keine Minute zu früh
Zur Stelle; es war – wie ihr sagen möget – gelungen.

All das ist lange her, doch ich erinnere mich gut,
Und ich würd es noch einmal vollbringen; aber schreiben,
Dieses niederschreiben,
Dies: den furchtbaren Weg, wo es ging um
Geburt oder Tod? – Dort war eine Geburt, sicherlich,
Es gab den Beweis und keinen Zweifel. Ich kannte Ge-
burt und kannte Tod
Und glaubte, sie seien verschieden; doch diese Geburt
War eine harte und bittere Marter für uns, wie ein Tod,
ein eigener Tod.

Wir kehrten an unseren Ort, in diese Königreiche, zu-
rück,
Ruhlos Gewordene, in unser altes Verhängnis,
Zu einem üblen Volk, das nichts kannte als Reichtümer
raffen.
Ein anderer Tod wäre mir leichter gewesen.

Aus dem Amerikanischen von Georg von der Vring

Tausendundeine Nacht

Geschichte Haruns und dem Kadhi Abu Jusuf

Djafar brachte einst eine Nacht in Gesellschaft Haruns
zu, da sagte ihm dieser: »Ich habe gehört, du habest die
Sklavin N. N. gekauft, die ich schon längst besitzen
möchte, denn sie ist sehr schön und liebenswürdig; verkaufe sie mir doch wieder!« Djafar antwortete: »Sie ist
mir nicht feil.« – »So schenke mir sie.« – »Ich verschenke
sie auch nicht.« – »Wenn du sie mir nicht verkaufst und
nicht schenkst, so lasse ich mich dreimal von Subeida

scheiden.« »Und wenn ich sie dir schenke oder verkaufe, so lasse ich mich dreimal von meiner Gattin scheiden.« Als sie aber aus ihrer Trunkenheit erwachten, merkten sie, daß sie sich in eine ernste Sache verwickelt hatten, und wußten nicht, wie sich wieder herauswinden. Da sagte Harun: »Das ist ein Fall, den nur Abu Jusuf lösen kann.« Als darauf Abu Jusuf noch um Mitternacht gerufen ward, stand er erschrocken auf und sagte: »Gewiß ist etwas Wichtiges im Islam vorgefallen.« Er bestieg schnell ein Maultier, hieß einen Jungen ihm mit Gerste folgen,

um sie dem Tiere vorzulegen, während er sich beim Kalifen aufhalten werde. Als er zum Kalifen kam, stand dieser vor ihm auf und ließ ihn neben sich auf den Diwan sitzen, was sonst niemand, außer ihm, durfte, und sagte ihm: »Ich habe dich wegen einer wichtigen Angelegenheit rufen lassen«, und erzählte ihm, was zwischen ihm und Djafar sich ereignet. Der Kadhi sagte: »O Fürst der Gläubigen! das ist die leichteste Sache von der Welt; Djafar soll dir die Hälfte der Sklavin verkaufen und die andere Hälfte schenken, dann seid ihr beide von eurem Eide freigesprochen.«

Der Kalif freute sich sehr mit dieser Lösung und sagte: »Ich liebe die Sklavin so sehr, daß ich sie sogleich hier haben möchte.« Als die Sklavin erschien, sagte er: »Ich möchte sie gleich heiraten, ich habe keine Geduld zu warten, bis die gesetzliche Frist abgelaufen ist.« – »Auch dafür weiß ich Rat«, sagte der Kadhi; »laß einen deiner Mamelucken kommen, der noch nicht frei ist.« Als ein solcher erschien, sagte der Kadhi zu dem Kalifen: »Erlaube mir, die Sklavin mit ihm zu verheiraten; er soll aber, sobald die Ehe geschlossen ist, ihr einen Scheidebrief geben; du kannst sie dann sogleich heiraten, weil nach einer geschlossenen, aber nicht vollzogenen Ehe keine Frist vorhanden ist.« Da der Kalif auf diese Weise gern seine Einwilligung gab, schloß der Kadhi den Ehekontrakt, sagte dann dem Mamelucken: »Du sollst hundert Dinare haben, gib der Sklavin einen Scheidebrief.« Aber der Mamelucke weigerte sich; man versprach ihm tausend Dinare, er sagte aber: »Hängt die Scheidung vom Kalifen, vom Kadhi oder von mir ab? ich lasse mich, bei Gott! nicht scheiden.« Der Kalif geriet in heftigen Zorn, aber der Kadhi sagte: »Erschrick nicht, du kannst ihre Ehe ungültig machen: schenke nur den Mamelucken, der doch dein Eigentum ist, der Sklavin, so ist ihre Ehe gelöst.« Da stand der Kalif auf und sagte: »Ein Mann deinesgleichen verdient zu meiner Zeit Kadhi zu sein.« Er ließ dann Schüsseln voll Gold holen, legte sie vor ihn hin und fragte ihn, ob er etwas bei sich habe, um dieses Gold hinein zu tun? Da erinnerte sich der Kadhi des Gerstensacks, ließ ihn sich bringen und trug ihn mit Gold gefüllt fort. Am folgenden Morgen sagte er zu seinen Schülern: »Wer nichts gelernt hat, der lerne etwas, seht einmal, wie viel Gold ich für die Lösung von drei Fragen erhalten habe.« Und du, gebildeter Leser! denke über diese anmutige Geschichte nach, du findest manches Schöne darin; du siehst, was sich der Vezier Djafar gegen den Kalifen erlauben durfte, wie gelehrt der Kalif, und wie noch gelehrter sein Kadhi war. Gottes Erbarmen sei mit ihnen!

Ludwig Bechstein

Die Probestücke des Meisterdiebes

Es wohnten in einem Dorfe ein paar sehr arme alte Leute mutterseelenallein in einem geringen Häuslein, das ganz weit draußen stand, und hörte gerade mit diesem Häuslein das Dorf auf. Die beiden Alten waren brav und fleißig, aber sie hatten keine Kinder. Einen Sohn, einen einzigen, hatten sie gehabt, aber der war ein ungeratener Bube gewesen und heimlich auf und davon gegangen, hatte auch ein Lebetag nichts wieder von sich hören und sehen lassen, und so glaubten die beiden Alten, ihr Einziger sei lange tot und bei Gott gut aufgehoben.

Nun saßen einstmals die beiden Alten vor ihrer Haustür, an einem Feiertage, da fuhr zum Dorfe herein ein stattlicher Wagen, den zogen sechs schöne Rosse, und darin saß ein einzelner Herr, hintenauf stand ein Bedienter, dessen Hut und Rock von Gold und Silber nur so starrte. Der Wagen fuhr durch das ganze Dorf, und die Bäuerlein, die gerade aus der Kirche kamen, meinten schier, es fahre ein Herzog oder gar ein König vorbei, denn solche Pracht konnte der Edelmann, der droben im alten Schloß wohnte, nicht aufwenden. Da hielt mit einem Male der Wagen vor dem letzten Häuslein still, der Bediente sprang vom Bocke und öffnete dem darin sitzenden Herrn den Schlag, welcher ausstieg und auf die beiden Alten zueilte, die sich ganz bestürzt von ihrer Bank erhoben hatten. Er bot ihnen freundlich guten Tag und Handschlag und fragte, ob er nicht ein Gericht Kartoffelhütes (Klöße) mit ihnen essen könne. Darüber verwunderte sich am meisten das Mütterlein, aber der junge hübsche und sehr vornehm gekleidete Herr stillte alsbald ihr Staunen, indem er sagte, daß ihm noch kein Koch diese Hütes habe recht machen können, er wolle sie einmal von Landleuten zubereitet essen, wie in seiner Jugend. Da luden die Alten den edlen Junker, für den sie den Fremdling hielten, freundlich in ihre Hütte, und er ließ den Wagen mit Kutscher und Bedienten einstweilen in das Wirtshaus fahren. Das Mütterlein holte eilends Kartoffeln aus dem kleinen Keller des Häusleins herauf, schälte, rieb und preßte sie, ließ Wasser sieden, tat die geballten Klöße, zu denen sie etwas Schmalz getan, hinein und segnete dieses Essen mit dem frommen Spruch: »Gott behüt es«, davon denn auch die Klöße an vielen

Orten Südthüringens Hütes heißen. In dieser Zeit, daß die Alte ihr Mahl bereitete, war ihr Mann mit dem Fremdling in das Hausgärtchen gegangen, wo er an kurz zuvor gepflanzten jungen Bäumen sich eine kleine Beschäftigung machte und nachsah, ob die Pfähle, an welche die Stämmchen mit Weide gebunden waren, noch festhielten und der Wind keine Weide losgerissen hatte, und wo dies geschehen war, da band der Alte jedes Stämmchen wieder fest. Da hub der junge Fremde an zu fragen: »Warum bindet Ihr dieses kleine Stämmchen dreimal an?« – »Ja!« sprach der Alte, »da hat es drei Krümmen, darum bind' ich's fest, daß es gerade wächst.« – »Das ist recht, Alter!« sprach der Fremde; »aber dort habt Ihr ja einen alten krummen Knorz von Baum! Warum bindet Ihr den nicht auch an einen Pfahl auf, daß er gerade wird?« – »Hoho!« lachte der Alte, »alte Bäume, wenn sie krumm sind, werden nicht wieder gerad. Wenn man sie gerade haben will, muß man sie jung gut ziehen.« – »Habt Ihr auch Kinder?« fragte der Fremde weiter. »O lieber Gott, Euer Gnaden!« antwortete der Mann, »gehabt hab' ich einen Jungen, war ein erzer Nichtsnutzer, hat wilde böse Streiche gemacht und ist mir zuletzt davongelaufen und sein Lebtag nicht wiedergekommen. Wer weiß, wo ihn der liebe Gott hingeführt hat oder der Böse.« – »Warum habt Ihr denn Euern Sohn nicht beizeiten gerad gezogen wie diese da, Eure Bäumchen!« sprach betrübt und vorwurfsvoll der Fremde. »Wenn er nun ein ungeratener krummer Knorz und Wildling geworden, so ist's Eure Schuld. Aber wenn er Euch nun wieder unter die Augen käme, würdet Ihr ihn wohl erkennen?« – »Weiß auch nicht, lieber Herr!« erwiderte der Bauer; »er wird wohl in die Höhe geschossen sein, wenn er noch lebt, doch hatte er ein Muttermal am Leibe, daran allenfalls könnt' ich ihn kennen. Der kommt aber doch erst am Nimmermehrstag wieder heim.« Da zog der Fremde seinen Rock aus und zeigte dem Alten ein Muttermal: Der schlug die Hände übern Kopf zusammen und schrie: »Herr Jes's! Du bist mein Sohn – aber nein – du bist so schrecklich fürnehm. Bist du denn ein Graf geworden oder gar ein Herzog?« – »Das nicht, Vater«, sprach der Sohn leise, »aber etwas anders, ein Spitzbub bin ich geworden, weil Ihr mich nicht gerade gezogen habt, doch laßt's gut sein, ich hab' meine Kunst tüchtig studiert, bin nicht etwa so ein miserabler Pfuscher, wie's ihrer viele gibt.«

Der alte Mann war ganz stumm vor Schreck und vor Freude, führte den Sohn an der Hand ins Haus und zur Mutter, die justement die Klöße fertig hatte und auftrug, und sagte ihr alles. Da fiel das Mütterlein ihrem Sohn an das Herz und um den Hals, küßte ihn und weinte und sagte: »Dieb hin, Dieb her! Du bist doch mein lieber Sohn, den ich unterm Herzen getragen habe, und mir hüpft das Herz hoch in der Brust, daß ich dich in meinen alten Tagen wiedergesehen! Ach, was wird dein Herr Pate sagen, droben auf dem Schloß der Edelmann!« – »Ja!« sprach dazwischen der Vater, während alle drei nun miteinander tapfer in die Klöße einhieben, »dein Herr Pate wird nichts von dir wissen wollen bei so bewandten Umständen, wie es mit dir steht; er wird dich am Ende am Galgen zappeln lassen.« – »Nun, besuchen will ich ihn doch, den Herrn Paten!« antwortete der Sohn, ließ seinen Wagen anspannen und fuhr aufs Schloß hinauf.

Der Edelmann war sehr erfreut, seinen Paten, den er als armes Kind aus Gnaden zur Taufe gehoben, so stattlich wieder vor sich treten zu sehen, als dieser sich ihm zu erkennen gab. Aber darüber freute er sich nicht im mindesten, als auf Befragen, was er denn in der Welt geworden sei, der junge Pate zu Antwort gab, er wäre ein ausgelernter Spitzbub geworden. Sann also bald darüber nach, wie er mit guter Art einen so gefährlichen Menschen in Zeiten loswerden möchte.

»Wohlan!« sprach der Edelmann zu seinem Paten, »wir wollen sehen, ob du das Deinige ordentlich gelernt hast und ein so großer Dieb geworden bist, den man mit Ehren laufen lassen kann, oder nur so ein kleiner, den man an den ersten besten Galgen henkt. Letzteres werde ich in meinem Gerichtsbann mit dir unfehlbar tun, wenn du nicht die drei Proben bestehst, die ich dir auferlegen werde!« – »Nur her damit, gestrenger Herr Pate! Ich fürchte mich vor keiner Arbeit.«

Der Edelmann sann eine kleine Weile nach, dann sprach er: »Hör an! Dieses sind die drei Proben. Zum ersten stiehl mir mein Leibpferd aus dem Stalle, den ich wohl bewachen lasse von Soldaten und Stalleuten, die jeden totschlagen, der Miene macht, in den Stall zu dringen. Zum andern stiehl mir, wenn ich mit meiner Frau im Bette liege, das Bettuch unterm Leibe weg und meiner Frau den Trauring vom Finger, doch wisse, daß ich geladene Pistolen zur Hand habe. Zum dritten und letzten – und merke, das ist das schwerste Stück – stiehl mir Pfarrer und Schulmeister aus der Kirche und hänge sie beide lebend in einem Sack in meinen Schornstein. Tor und Türen im Schlosse sollen dir dazu offen stehen.«

Der Meisterdieb bedankte sich freundlich bei seinem Herrn Paten, daß er ihm so leichte Stücklein aufgegeben, und ging seiner Wege, um in nächster Nacht gleich das erste Stück auszuführen. Der Edelmann traf alle Anstalten, sein Leibroß gut bewachen zu lassen. Sein erster Leibknecht mußte sich darauf setzen, ein anderer Diener mußte den Zaum fassen, ein dritter den Schwanz, und vor die Türe ordnete der Herr eine Soldatenwache. Die wachten und wachten, froren und fluchten, denn es war kalt, und alle waren durstig; da zeigte sich ein altes Mütterlein, das trug ein Fäßlein auf einem Korbe, hüstelte schwer und keuchte zum Schloßhof hinein. Das Fäßlein weckte in der Seele der Soldaten ganz besonders anziehende Gedanken, nämlich die, daß möglicherweise Branntwein darin sein könne, und daß Branntwein ein Spezifikum gegen den Nachtfrost sei und gegen die bösen Nebel. Riefen daher das alte Mütterlein zum Feuer, daß sich's wärme, und forschten nach dem Inhalt des Fäßleins. Richtig geahnt! Branntwein war darin, und noch dazu veredelter, Doppelpomeranzen, Spanischbitter oder so eine Sorte. Auch war das Fäßlein nicht tückischerweise verpicht und verspundet, sondern es war ein Hähnlein daran, und die Frau hatte, das war das beste, den Branntwein zu verkaufen. Da kauften die Soldaten ein Becherlein ums andere, riefen's auch den Wächtern im Stalle zu, daß draußen im Hofe der Weizen blühe, und das alte Frauchen hatte alle Hände voll zu tun mit Einschenken, so daß ihr Fäßlein schier leer war. Die alte Frau war aber kein anderer Mensch als der Erzdieb, der sich gut verkleidet und in den Schnaps einen barbarischen Schlaftrunk gemischt hatte. Es währte gar nicht lange, so fiel ein Soldat nach dem andern in Schlaf, und den Wächtern im Stalle fielen auch die Augen zu, und es war gut, daß der Dieb schon im Stalle bei dem Pferde stand, so konnte er den Reitknecht in seinen Armen auffangen, als dieser gerade vom Pferde fiel, und ihn sanft rittlings auf die Schranke setzen und was weniges anbinden, damit der gute Mensch nicht etwa auch da herunterfalle und Schaden leide. Dem Leibkutscher, der den Zaum hielt und in der Ecke schnarchte, lieh der Dieb einen Strick in die Hand und dem Stallknecht statt des Roßschweifes ein Strohseil. Dann nahm er eine Pferdedecke, schnitt sie in Stücke, wickelte sie um des Rosses Füße, schwang sich in den Sattel, und heidi, hast du nicht gesehen – zum Stall und zum offen gebliebenen Schloßtor hinaus.

Als es heller Tag geworden, sah der Edelmann zum Fenster hinaus und sah einen stattlichen Reiter daher galoppiert kommen auf einem nicht minder stattlichen Roß, das ihm so bekannt vorkam. Der Reiter hielt an und bot guten Morgen hinauf zum Schloßfenster. »Guten Morgen, Herr Pate! Euer Pferd ist Goldes wert!« – »Ei daß dich alle Teufel!« rief der Edelmann, wie er sah, daß das Pferd seine Schecke war. »Du bist ein Gaudieb! Nu, nu – nur zu! Laß deine Kunst weiter sehen!« Der Edelmann nahm seine Reitpeitsche und ging nach dem Stalle voller Zorn; als er aber die wunderlichen Gruppen der noch immer schlafenden Wächter sah, mußte er laut auflachen, gedachte aber bald in seinem Herzen: Wenn der Gauner diese Nacht kommt, mir das Bettuch zu stehlen, will ich ihm eine Kugel durch den Kopf schießen, denn solch einen gefährlichen Kerl möchte ich nicht in meiner Nähe wissen.

Da nun die Nacht herbeigekommen war, legte sich der Edelmann mit seiner Frau zu Bette, und neben sich legte er eine geladene Pistole und unterschiedliche andere Wehr und Waffen, schlief auch nicht ein, sondern blieb wachsam, horchte und lauschte, ob sich nichts regte. Lange blieb alles still, jetzt endlich, es war schon ziemlich dunkel, war es, als würde eine lange Leiter angelehnt, und bald darauf wurde draußen am Fenster die Gestalt eines Menschen sichtbar, der hereinsteigen wollte. »Erschrick nicht, Frau!« rief leise der Edelmann, nahm die Pistole, zielte gut, drückte los und schoß den Räuber mitten durch den Kopf, dieser wankte, und gleich darauf hörte man unten einen schweren Fall. »Der steht nicht wieder auf«, sprach der Edelmann, »doch möcht' ich Aufsehen vermeiden, ich will deshalb geschwind die Leiter hinuntersteigen, daß im Hause kein Lärm wird, und den Erschossenen beiseite schaffen.« Das war der Edelfrau recht, und ihr Mann tat, wie er gesagt. Bald darauf kam er wieder herauf und sprach zur Frau: »Der ist mausetot; ich will dem armen Teufel aber doch, ehe ich ihn in die Grube werfe, in einen Leinlaken hüllen, und da er um deines Ringes willen sein Leben hat lassen müssen, so wollen wir ihm diesen anstecken; gib mir den Ring und auch das Bettuch.« Die Frau gab beides her, und jener stieg eilend wieder hinunter. Es war aber nicht der Edelmann, sondern der Meisterdieb, der, um sein Stücklein auszuführen, vom ersten besten Galgen (damals gab es in Deutschland noch allewege viele Galgen) einen frisch Gehenkten abgeschnitten und ihn dann auf seine Schultern geladen hatte, als er die Leiter emporstieg. Wie drinnen der Schuß fiel, ließ er den Leichnam hinunterstürzen, stieg eilend die Leiter herab und versteckte sich. Und wie nun der Edelmann herunterkam und sich mit dem vermeintlich Erschossenen zu schaffen machte, wischte er rasch hinauf ins Zimmer der Frau, ahmte des Paten Stimme nach und forderte Ring und Bettuch.

Am andern Morgen sah der Edelmann wieder nach seiner Gewohnheit zum Fenster hinaus, da ging drunten ein Mann auf und ab, der hatte, wie es schien, Leinwand zu verkaufen, mindestens trug er ein zusammengeschlagenes Bündel über der Schulter und ließ einen schönen Ring in der Morgensonne blitzen und funkeln. Mit einem Male rief der Mann hinauf: »Schönsten guten Morgen, Herr Pate! Ich wünsche Ihnen und der Frau Patin recht wohl geruht zu haben!« – Der Edelmann war wie vom Donner gerührt, als er seinen Paten, den er die vorige Nacht mit eigner Hand erschossen und mit derselben Hand in eine Grube geworfen, leibhaftig stehen sah, und fragte hastig seine Frau nach Ring und Tuch. »Nun, du hast mir's ja diese Nacht abverlangt!« erwiderte die Dame. »Der Satan! Aber ich nicht!« tobte der Edelmann – doch gab er sich bald wieder, in Erwägung, daß der kühne Dieb noch mehr hätte nehmen können. Er machte dem Paten eine Faust zum Fenster hinaus und rief: »Erzgauner! Das Dritte! Das Dritte bringt dich sicherlich an den Galgen!«

In der nächsten Nacht darauf begab sich etwas Seltsames auf dem Gottesacker. Der Schulmeister, der diesem zunächst wohnte, wurde es zuerst gewahr und meldete es dem Herrn Pfarrer. Über den Gräbern wandelten kleine brennende Lichtlein in unstatter Bewegung umher. »Das sind die armen Seelen, Schulmeister!« flüsterte der Pfarrer mit Grausen. Plötzlich erschien eine große schwarze Gestalt auf den Stufen der Kirchtüre, die rief mit hohlem Tone:

»Kommt all' zu mir, kommt all' zu mir,
Der jüngste Tag ist vor der Tür!
O Menschenkinder, betet still!
Die Toten sammeln schon ihr Gebein!
Wer mit mir in den Himmel will,
Der kreuch in diesen Sack hinein!«

»Wollen wir?« fragte der Schulmeister den Pfarrer mit Zähneklappern. »Zeit wär's, vorm Torschluß. Der heilige Apostel Petrus ruft uns, das ist keine Frage. Aber Reisegeld?« – »Ich habe mir zwanzig Kronen erdarbt«, wisperte das Schulmeisterlein. »Ich habe hundert Dicketonnen (Laubtaler) für den Notfall zurückgelegt!« sprach der Pfarrer. »Holen wir's und nehmen's mit!« riefen beide und taten also, dann näherten sie sich der schwarzen Gestalt mit Furcht und Zittern. Diese war der Meisterdieb; er hatte Krebse gekauft und ihnen brennende Wachslichterlein auf den Rücken geklebt, das waren die armen Seelen, hatte einen Mönchsbart und eine Mönchskutte und einen Hopfensack, in den er die beiden Schwarzröcke aufnahm, nachdem er ihnen ihr Erspartes abgenommen. Jetzt schnürte er den Sack zu und schleifte ihn hinter sich her durch das Dorf und durch einen Tümpel, wobei er rief: »Jetzt geht's durch das rote Meer!«, dann durch den Bach: »Jetzt geht's durch den Bach Kidron«, dann durch die Schloßflur, allwo es kühl war: »Jetzt geht's durch das Tal Josaphat«, dann zur Treppe hinauf: »Dieses ist schon die Himmelsleiter«, endlich hing er den

Sack im Schornstein auf an einen Haken, daran man die Schinken räuchert, machte darunter einen ziemlichen Qualm und rief mit schrecklicher Stimme: »Dieses ist das Fegefeuer! Dieses dauert etwelche Jahre!« und machte sich fort. Da schrien Pfarrer und Schulmeister Zetermordio, daß das ganze Hausgesinde zusammenlief. Der Meisterdieb aber trat kecklich zum Edelmann: »Herr Pate, meine dritte Probe ist auch gelöst. Pfarrer und Schulmeister hängen im Schornstein, und so es Euch gefällig, könnt Ihr sie selber zappeln sehen und schreien hören!« – »O du Erzschalk und Erzgauner, du Erzbösewicht und Meisterdieb aller Meisterdiebe!« rief der Edelmann und gab gleich Befehl, jene aus dem Fegefeuer zu erlösen. »Du hast mich überwunden, hebe dich von dannen! Hier hast du ein Goldstück. Hebe dich von dannen, komme mir nicht wieder vor Augen und laß dich für dein Geld henken, wo es dir gefällig ist.«

»Danke zum allerschönsten, gestrenger Herr Pate, und will so tun!« antwortete der Spitzbub, »aber wollt Ihr nicht die Pfänder auslösen, die ich redlich erworben habe? Euer Leibroß mit zweihundert Kronen, Eurer Gemahlin Trauring und das Tuch mit hundert Kronen, des Pfarrers und Schulmeisters Geld mit hundertundzwanzig Kronen! Wo nicht, so fahr' ich damit von dannen.« Den Edelmann rührte fast der Schlag; er sprach: »Lieber Pate, das war ja alles nur ein Spaß, du wirst diese Güter nicht an dir behalten wollen; ich schenke dir ja das Leben.« »Nun, so will ich gehen und Euch die Sachen alle herbringen!« sprach der Meisterdieb; ging und ließ seinen Wagen anspannen, seinen alten Vater und seine Mutter hineinsetzen, setzte sich selbst auf des Edelmanns Roß, steckte den prächtigen Ring an den Finger und schickte dem Edelmann nur das Bettuch mit einem Brieflein, darin stand: »Gebt dem Pfarrer und dem Schulmeister ihr Geld zurück, sonst stiehlt Euch Eure Frau

Dero untertäniger Pate und Meisterdieb.«

Da bekam der Edelmann große Furcht, trug den Schaden und wollte nichts mehr von seinem Paten wissen, erfuhr auch nichts mehr von ihm, denn der war mit seinen Eltern in ein fernes Land gezogen und ein ehrlicher und angesehener Mann geworden.

Wilhelm Busch

Der Dorfpolitiker

Altenteiler liest mit Ruh
In der Landeszeitung;
Friedlich grast die treue Kuh
Unter seiner Leitung.

Wenn sich zwei so einig sind
Und sich lange kennen,
Ach, wie kommt dann oft geschwind
Einer, sie zu trennen.

Daß die Trennung möglichst kurz,
Die die zwei betroffen,
Daß nicht gar zu hart der Sturz,
Nun, wir wollen's hoffen.

Das persönliche Horoskop
Astrologische Charakterkunde für
die charmante und unentschlossene Waage
1. Dekade vom 24. September–3. Oktober

Ihr persönlicher Weg zum Glück

Eine Ihrer hervorstechensten Qualitäten besteht darin,
daß Sie sich so wunderbar in einen anderen Menschen
hineinversetzen können. Das bringt Vorteile für alle. Sie
besitzen auch von Natur aus eine gewisse innere Fröhlichkeit, die sich schnell auf Ihre Mitmenschen überträgt. Sie
sind ein ebenso guter Redner wie Zuhörer. Sie verfolgen
Ihre Ziele am liebsten mit einem Partner und können dabei beachtliche Talente auf allen Gebieten einsetzen. Sie
sind von einer unvergleichbaren Kreativität, speziell auf
dem Gebiet der Kunst. Gerade als Waage-Geborener der
ersten Dekade müssen Sie astrologisch jede Chance er-
greifen, um das Beste aus Ihrem Leben zu machen. Dafür
müssen Sie allerdings hart an sich arbeiten. Für Sie gilt
ganz besonders: Die Sterne künden Ihnen kein unab-
wendbares Schicksal, doch können sie Ihnen eine echte
Lebenshilfe sein und Ihnen den optimalen Weg durchs
Leben zeigen. Für ein glückliches und ausgeglichenes
Dasein spielen ganz bestimmte Farben für Sie eine domi-
nierende Rolle. Als Waage-Geborener der ersten Dekade werden Sie ganz besonders von vier Farben positiv
beeinflußt: von Lichtblau, Hellgrau, Rosa und Zartgrün.

Umgeben Sie sich so häufig wie möglich damit, Denken sie daran, wenn Sie sich Hemden, Pullover, Blusen, Vorhänge, Teppiche oder Möbelstoffe anschaffen. Sie brauchen Ihre Glücksfarben für eine besonders ausgeglichene Stimmung und für Ihre innere Sicherheit.

Die Glückszahlen für den Waage-Geborenen der ersten Dekade sind die Fünf und die Sechs. Allerdings überwiegt die Bedeutung der Sechs stark. Sie übt einen weitaus entscheidenderen Einfluß aus. Sie werden das selbst in bestimmten Phasen Ihres Lebens bemerken.

Ihre Glücksmetalle, die Ihnen astrologisch zugeordnet sind und die Ihren Organismus besonders positiv beeinflussen, sind an erster Stelle das Kupfer und an zweiter Stelle das Aluminium, wobei die beiden vereint in einer Legierung keine Bedeutung für Sie haben. Dem Kupfer sollten Sie vor allem als Metall der Heilung und der Schmerzlinderung Ihre Aufmerksamkeit schenken.

Unter den Glückssteinen sind Ihnen der schwachblau schimmernde Aquamarin sowie der Rauchtopas zugedacht. In Kombination mit Kupfer können diese Steine eine geheimnisvolle Wirkung auf Sie ausüben.

Glückspflanzen, die Sie besonders günstig beeinflussen, sind milde Kräuter – allen voran die Kamille –, Erdbeeren und Pfirsichbäume. Eine nahezu magische Beziehung hat der Waage-Geborene schon von Kindheit an zur Kastanienfrucht. Sie übt eine starke Heilkraft auf Körper und Seele aus und wird von vielen Waage-Menschen als Talisman getragen.

Wenn Sie einen Weg voller Glück gehen wollen, dann widmen Sie sich, wann immer Sie Zeit dazu haben, der Kunst, egal ob aktiv oder passiv. Als Schöngeist brauchen Sie das für Ihre Lebensfreude. Besuchen Sie regelmäßig Konzerte, oder nehmen Sie an Hausmusikabenden teil. Das Erlebnis von Musik – egal ob es sich um einen alten Meister oder um eine moderne Komposition handelt – versetzt Sie in Glücksstimmung. Sie lauschen für Ihr Leben gern wohlklingenden und stimulierenden Tönen und Melodien. Legen Sie sich eine Sammlung von Schallplatten und Musikkassetten zu. Sie werden Ihren Musikschatz sicher ausnützen, vor allem, wenn Sie eine gute Stereoanlage besitzen.

Da Sie auch einen ausgeprägten Schönheitssinn haben und bei all Ihren Mitmenschen als Ästhet gelten, sollten Sie sich auch hin und wieder Zeit für einen Besuch in einer interessanten Ausstellung oder in einer Gemäldegalerie nehmen. Sie werden speziell das Betrachten von Bildern als Erlebnis empfinden. Gehen Sie auch hin und wieder ins Theater oder in die Oper. Sie brauchen das. Sie haben auch meist Ihre besonderen Lieblingskünstler. Sie können sich auch als Erwachsener noch für Persönlichkeiten aus dem Bereich der Kunst begeistern. Oft findet man unter fanatischen Autogrammsammlern in vorgerücktem Alter vor allem Waage-Menschen. Sie werden es besonders auskosten, wenn Sie einmal die Möglichkeit haben, mit einem dieser Prominenten persönlichen Kontakt aufnehmen zu können.

Legen Sie sich in Ihrer Wohnung eine umfangreiche Bibliothek zu. Bücher geben Ihnen ein sicheres und zufriedenes Gefühl. Sie blättern ebensogern in prächtigen Bildbänden wie in Gedichtsammlungen, lieben aber auch spannende Literatur und moderne Dichtung. Sie möchten nur nichts Böses, Negatives und Belastendes lesen.

Ihnen macht es Spaß, mit netten Menschen zusammenzusein. Eine gewisse Betriebsamkeit gehört zu Ihrem Leben. Mitunter aber tut es Ihnen auch ganz gut, sich allein zurückzuziehen, Probleme zu überdenken und sich seelisch und körperlich zu erholen. Eines aber sollten Sie meiden: riesige Menschenansammlungen, Drängeleien, Demonstrationen, Massenveranstaltungen. Das sind für Sie keine idealen Kommunikationsmöglichkeiten. Da bekommen Sie Angst, werden unsicher.

Verbringen Sie möglichst viel Zeit in der Natur. Der Anblick von Blüten, Gräsern, Sonnenstrahlen und zwitschernden Vögeln vermittelt Ihnen seelisches Wohlbehagen. Der Waage-Geborene ist einer der wenigen Menschen in unserer modernen, gestreßten Zeit, der es noch fertigbringt, entspannt und ruhig im Gras zu liegen und die Wolken zu zählen oder sich in einer Hängematte zu erholen.

Sehr glücklich sind Sie auch, wenn Sie einem kreativen Hobby nachgehen. Wählen Sie zwischen Malen, Töpfern, Schnitzen und Formen.

Durch einen deutlichen Jungfrau-Einfluß in Ihrer ersten Dekade bricht bei Ihnen häufig das spezielle Interesse an modernen Erfindungen, an Maschinen und Geräten durch. Durch diesen Jungfrau-Einfluß steckt auch eine gewisse Begabung für Organisations- und Planungsaufgaben in Ihnen. Gehen Sie als Waage nur bitte vorsichtig damit um, und übertreiben Sie nicht. Gehen Sie niemals ein Risiko ein, und muten Sie sich nicht zuviel an Leistung und Durchhaltekraft zu. Nützen Sie den in Ihnen aufkeimenden Wissensdurst, und überwinden Sie eine hemmende Trägheit in sich.

Nützen Sie Ihre positiven Anlagen

Als Waage-Geborener der ersten Dekade bieten sich Ihnen sehr viele Gelegenheiten, um auf der Sonnenseite des Lebens dahinzuwandern. Mit Diplomatie und Einfühlungsvermögen, aber auch mit Hilfe eines idealen Partners schaffen Sie sogar schwere Hürden. Aber Sie müssen hart um Ihre innere Harmonie kämpfen. Sie sollten sich daher besonders zusammennehmen und an sich arbeiten, damit die positiven Charakteranlagen, die in Ihnen schlummern, richtig zur Entfaltung kommen können. Wenn Sie es geschafft haben, sind Sie das Musterbeispiel einer positiven Waage.

Bemühen Sie sich immer, taktvoll an alle Probleme des Lebens heranzugehen. Zeigen Sie sich freundlich und hilfsbereit. Legen Sie eine gewisse Gründlichkeit in allen Lebenssituationen an den Tag. Durch einen deutlichen Jungfrau-Einfluß in Ihrer ersten Dekade verfügen Sie nicht nur über eine besonders gute Beobachtungsgabe, über Disziplin und Gründlichkeit, sondern auch über ein verfeinertes und verantwortungsvolles Gesundheitsbewußtsein Ihrem eigenen Körper gegenüber. Mit Ihrer überschwenglichen Fröhlichkeit stecken Sie Ihre Mitmenschen an. Sie können beneidenswert glücklich sein. Im Zusammenleben mit anderen entwickeln Sie ein starkes Gerechtigkeitsgefühl, sind sehr kooperativ und zeichnen sich durch Rücksicht und Großzügigkeit aus. Sie sind sehr wendig und verstehen es, im richtigen Augenblick Ihren Charme einzusetzen. Vielleicht wäre manchmal mehr Nachgiebigkeit am Platz. Bleiben Sie romantisch und der Kunst gegenüber aufgeschlossen.

Vorsicht vor den eigenen Fehlern

Die meisten Pannen passieren im Leben ja doch immer dann, wenn man sich nicht oder zuwenig auf die eigenen negativen Eigenschaften einstellt, wenn man die eigenen Fehler ignoriert. Darum ist es gut, daß uns die Sterne so offen und ehrlich darüber aufklären, welche gefährlichen Anlagen in jedem von uns schlummern, die bei mangelnder Disziplin überhand nehmen und uns schaden können.

Wenn Sie als Waage-Geborener der ersten Dekade Ihre Ziele mit Ungeduld, Unzufriedenheit und Kleinlichkeit anpeilen, dann wird der Erfolg oft ausbleiben. Durch den Jungfrau-Einfluß in Ihrer Dekade können Sie auch mitunter in eine sehr unangenehme und nervenpeinigende Nörgelei verfallen. Sie sind in Gefahr, stur, gefühllos und pedantisch zu werden. Sie könnten auch leicht der Hypochondrie verfallen. Schuld daran ist vielfach Ihre mangelnde Selbstkritik. Werden Sie nur nicht träge und faul. Sie geraten dadurch oft leicht in die Abhängigkeit anderer Menschen. Und das sind meist solche, die keinen guten Einfluß auf Sie ausüben. Durch falsche Vorgaben und Heuchelei werden Sie es sich mit vielen Freunden verderben. Auch mit Flatterhaftigkeit zerstören Sie viel in Ihrem Privatleben. Verantwortungslosigkeit kann für Sie sehr gefährlich werden. Verfallen Sie niemals dem Neid, und gewöhnen Sie sich eine gewisse Unzuverlässigkeit schnell ab. Arbeiten Sie daran, daß Sie nie mittelmäßig in Ihren Leistungen und in Ihrem Auftreten sind. Flüchten Sie sich niemals in Hinterlist und Egoismus. Herrschsucht lohnt sich nicht und bringt Ihnen nur Feindschaften ein.

Ihre Chancen in Liebe und Ehe

Als Waage-Geborener der ersten Dekade sind Sie oft mit Ihrem Partner in Gesellschaft anderer Leute glücklicher, als wenn Sie mit ihm allein sind. Das kommt daher, daß Sie manchmal zwischen Freundschaft und Liebe keine sonderlichen Unterschiede in der Gefühlstiefe feststellen können. Ein Partner, der sehr sensibel ist, muß das erst langsam verkraften lernen. Nehmen Sie sich keinen eifersüchtigen Gefährten fürs Leben, sonst leiden beide Seiten sehr darunter. Das bedeutet nicht, daß Sie ihn betrügen oder ihm Grund zur Eifersucht geben. Aber als Waage-Geborener haben Sie unter Ihren Freunden immer auch Vertreter des anderen Geschlechts, und das könnte Ihr Partner enorm mißverstehen.

Zu Ihrem Tierkreiszeichen und Ihrer ersten Dekade paßt am besten ein zärtlicher, entschlossener, aufmerksamer und sehr höflicher Mensch. Sie sollten in einer Zweisamkeit niemals zu verstandesbetont auftreten. Man könnte Sie deswegen sonst für einen kühlen Menschen halten, was aber gar nicht stimmt. Sie sind ja zeitweise ungeheuer leidenschaftlich. Sie zeigen es nur nicht gern. Merken Sie sich aber: Es gibt Augenblicke im Leben, in denen Zurückhaltung und Distanz fehl am Platz sind. Durch einen untrüglichen Jungfrau-Einfluß in Ihrer ersten Waage-Dekade brauchen Sie für Entscheidungen des Herzens mehr Zeit als andere. Niemand darf Sie da drängen. Das bedeutet aber nicht, daß Sie in dieser Zeit einem lieben Menschen nicht Ihre ehrliche Liebe eingestehen können. Hier kann falsche Zurückhaltung Mißverständnisse auslösen oder Fehlreaktionen beim Partner auslösen. Im Grunde genommen wissen Sie ganz genau, was Sie von einem Menschen erwarten können, dem Sie Ihr Herz schenken wollen. Sie sind da etwas besser dran als alle anderen Waage-Geborenen. Auch da hilft Ihnen der Jungfrau-Einfluß, der Ihnen garantiert, daß Sie Herz und Verstand in der Liebe fast immer unter Kontrolle haben.

Hände weg von einem Partner, der gleich auf den ersten Blick ungeschickt, plump, derb und vulgär wirkt. Es ist von großem Vorteil, wenn Sie Ihren Partner gleich am Anfang des Kennenlernens wissen lassen, daß Sie größten Wert auf ein tadelloses Äußeres legen.

Sie brauchen einen Lebenspartner, der Ihnen viel Liebe gibt, der aber auch obendrein die Energie und Kraft besitzt, Ihnen Ruhe, Frieden und Harmonie zu garantieren. Sie erwarten insgeheim, daß Ihnen in der Zweisamkeit Unannehmlichkeiten, Störungen und alles Häßliche vom Leib gehalten werden. Sie sollten daher ruhig zugeben, daß Sie schutzbedürftig sind und einen starken Gefährten brauchen.

Leider verfallen Sie immer wieder in einen verhängnisvollen Fehler. Sie wirbeln oft bei harmlosen Problemen in der Liebe und in der Ehe furchtbar viel Staub auf und beschwören einer Kleinigkeit wegen einen schlimmen Streit herauf. Oft hat man das Gefühl, Sie handeln aus einem Selbstzerstörungstrieb heraus. Hier wäre eine radikale Selbsterziehung am Platz. Denken Sie doch nach, ob sich die möglichen Folgen Ihres Verhaltens wirklich lohnen. Eine wirkungsvolle Vorbeugungsmaßnahme gegen derartige Pannen: Wenn Sie den richtigen Partner gefunden haben, dann bemühen Sie sich darum, grundsätzlich mehr zu geben als zu nehmen. Sie verfallen nämlich leider in der Liebe immer ins umgekehrte Prinzip.

Wenn Sie Zärtlichkeiten in der Öffentlichkeit ablehnen, aber auch sonst überschwengliche Umarmungs- und Kußszenen eher meiden, so läßt sich ein entsprechender Jungfrau-Einfluß in Ihrer ersten Waage-Dekade nicht verleugnen. Auch eine gewisse Nörgelsucht in der Partnerschaft deutet darauf hin.

Sie haben nicht das Talent, einen Partner im Sturm zu nehmen. Sie erreichen mehr mit Charme und Verführungskünsten. Ein Seitensprung kann für Sie sehr gefährlich werden. Überlegen Sie sich diesen Schritt genau. Nicht alles, was attraktiv aussieht, muß Ihnen gehören. Eine wunderbare, ungetrübte Verbindung geht der Waage-Geborene der ersten Dekade mit dem Wassermann und dem Zwilling ein, aber auch mit dem Stier und dem Steinbock ein. Harmonie mit kleinen Unterbrechungen gibt es mit Skorpion, Schütze, Löwe, Jungfrau und Krebs. Der Widder ist der Waage mitunter zu aggressiv, der Fisch dagegen oft zu launisch. Die Waage der ersten Dekade verträgt sich mit jeder anderen Waage verhältnismäßig gut, muß aber mit Krisen rechnen.

Sie und Ihre Freunde

Sie erwarten von Ihren Freunden, daß Sie Ihnen zwar herzlich und freundlich gegenübertreten, andererseits dürfen sie sich aber nicht zuviel Vertraulichkeit herausnehmen. Neugierige Fragen und zu häufige Besuche und Anrufe von Freunden können Ihnen sehr auf die Nerven gehen. Man darf Ihnen niemals leutselig auf die Schulter klopfen oder einen Stoß in die Rippen versetzen. Auch Scherze, die auf Ihre Kosten gehen, dulden Sie nicht. Niemals akzeptieren Sie Freunde, die Sie zu raschen Entscheidungen drängen. Sie werden nervös und ziehen sich zurück. Ihre Freunde müssen akzeptieren, daß Sie erst Zeit zum Nachdenken brauchen. Das hat weder mit Faulheit noch mit Trägheit etwas zu tun. Darum darf Ihnen das auch keiner vorwerfen. Sonst ist es mit der Freundschaft vorbei.

Sie erwarten von Ihren Freunden, daß sie Ihnen alles Unangenehme und Böse aus dem Weg räumen und Sie gegen schlimme Ereignisse abschirmen. Sie wollen nur mit angenehmen Dingen konfrontiert werden. Darum hassen Sie ja auch Ungerechtigkeiten so sehr. Ein Freund, der sich etwas Unangenehmes zuschulden hat kommen lassen, darf nicht mehr mit Ihrer Sympathie rechnen.

Sie setzen voraus, daß Ihre Freunde mit Ihnen viele interessante Gespräche führen, daß sie für ausführliche Diskussionen bereit sind. Sie wollen mit Ihren Freunden alle anfallenden Probleme analysieren, von allen Seiten her beleuchten. Und wenn Sie Ihre Thesen vortragen, dann erwarten Sie, daß Ihre Freunde gut zuhören und Sie nicht unterbrechen.

Durch einen deutlichen Jungfrau-Einfluß in Ihrer ersten Waage-Dekade finden Sie es im Grunde genommen befremdend, wenn sich ein Freund von Ihnen Geld ausleiht und es lange nicht zurückgibt oder gar nur in Raten zurückerstattet. Sie bekennen sich zu dem Leitspruch: Strenge Rechnung, gute Freunde. Auch Überraschungen sind Ihnen unangenehm. Sie möchten auf Neues lieber vorbereitet sein.

Ihre beruflichen und finanziellen Chancen

Entscheiden Sie sich als Waage-Geborener der ersten Dekade niemals für einen Beruf, bei dem Sie höchste Verantwortung tragen oder gar um eine Machtposition kämpfen müssen. Ellenbogentechnik und Intrigen im Beruf sind Ihnen verhaßt. Doch Sie beschäftigen sich gern mit Organisation. Ebenso gern sind Sie kreativ. Vor allem als Ideenlieferant können Sie einer Firma sehr viel wert sein. Sie hassen es allerdings, allein in einem Büroraum zu sitzen. Sie sind auch nicht gerade ein besonderer Fan von Akten und Zahlen. Sie wollen einen Aufgabenbereich, bei dem Sie mit vielen Menschen zu tun haben. Nur eines ist wichtig: Sie dürfen nicht für schnelle Entscheidungen eingesetzt werden. Da tun Sie sich sehr schwer, können dabei sogar sehr unglücklich sein. Bei Ihnen ist Geld zwar nicht der allererste Anreiz für eine Aufgabe. So unwichtig wie bei vielen anderen Waage-Geborenen der anderen Dekaden ist es aber auch wieder nicht. Geld spielt in Ihrem Berufsleben durchaus eine Rolle, die über eine Aufgabe, die Sie ausführen sollen, entscheiden kann. Grundsätzlich ist ein Broterwerb dann absolut nichts für Sie, wenn es da viele Intrigen gibt, wenn harte Geschäftsmethoden an der Tagesordnung sind und wenn mit Tricks gearbeitet werden muß. Das gefällt Ihrem ehrlichen Gemüt ganz und gar nicht. Wenn Sie weit mehr zur geistigen als zur körperlichen Arbeit neigen, dann kommt das von einem starken Jungfrau-Einfluß in Ihrer ersten Waage-Dekade.

Als Vorgesetzter ist der Waage-Geborene der ersten Dekade zielstrebig, wenn auch nicht sehr ausdauernd. Er ist bescheiden und hat Probleme, sich als Führungskraft durchzusetzen. Er arbeitet besonnen und ist sehr gerecht. Er überlegt seine Entscheidungen lange, bevorzugt gutaussehende Mitarbeiter und einen schönen Arbeitsplatz. Als Untergebener ist der Waage-Geborene der ersten Dekade ruhig, aber kritisch, freundlich zu den Kollegen, und er haßt jeglichen Befehlston.

Ideale Berufe – egal ob für Frau oder Mann – sind für den Waage-Geborenen der ersten Dekade: Verkäufer, Vertreter, Gastgewerbeangestellter, Meinungsforscher, Uhrmacher, Optiker, Showmaster, Discjockey, Gärtner, Richter, Sekretärin, Modezeichner, Schneider, Werbefachmann, Schauspieler, Zahnarzt, Drogist, Laborant.

Sie sind beim Geldverdienen unter allen Waage-Geborenen am tüchtigsten. Lassen Sie sich nur von Bekannten und Verwandten nicht zuviel dreinreden. Und wenn Sie Geld gespart haben, dann geben Sie es nicht unüberlegt aus. Keine luxuriösen Geschenke! Ihr Sparbuch sollte Ihnen heilig sein. Investieren Sie nie in abenteuerlichen Projekten. Sie werden kein Glück haben. Aber auch wenn Sie einmal kein Geld haben, werden Sie sich irgendwie durchbringen. Waage-Menschen sind Glücksritter, was Erbschaften betrifft.

Tips für Ihre Gesundheit

Gerade Sie als Waage-Geborener der ersten Dekade sollten darauf achten, daß Sie sich kein nervöses Magenleiden zuziehen. Irgendwie sind Sie da anfällig und werden leicht ein Opfer von Streß und Kummer. Ein guter Rat: Im Fall von Seelenkonflikten und Ärger weniger Nahrung zu sich nehmen! Grundsätzlich muß gesagt werden, daß Sie nicht sonderlich widerstandsfähig sind. Sie müssen Ihren Organismus zwischendurch immer wieder besonders schonen, müssen Ruhepausen nach arbeitsreichen Phasen einschalten und sich vor Überanstrengung hüten. Zu den am meisten gefährdeten Körperregionen bei Ihnen zählt die gesamte Wirbelsäule mitsamt den Bandscheiben. Daher ist es gerade für Ihr Tierkreiszeichen wichtig, regelmäßig Schwimmsport und Gymnastik zu betreiben. Damit lassen sich einige Leiden vermeiden.

Wenngleich Sie durch einen gewissen Jungfrau-Einfluß in Ihrer ersten Waage-Dekade auch etwas zum Hypochonder neigen, so müssen Sie doch in Sachen Gesundheit mit Recht besonders vorsichtig sein. Gerade Sie sollten auch kleine Beschwerden ernst nehmen und sich sofort an den Arzt wenden. Sie gehen sonst das Risiko ein, sich ein schweres und kompliziertes Leiden zuzuziehen, das – unbehandelt oder zu spät behandelt – verheerende Komplikationen verursachen kann. Wenn Sie sich im Krankheitsfall nicht sehr bemühen, auch Ihren Willen zur Genesung einzusetzen und den nötigen Optimismus und Humor zu zeigen, dann könnte es sein, daß Sie an einer Krankheit länger leiden müssen.

Sie brauchen viel Luft, Sonne und Bewegung in der Natur. Und Sie haben eine große Chance, grundlegenden Krankheitseinflüssen vorzubeugen und Ihre Konstitution zu stärken, und zwar folgende: Schluß mit der falschen und gesundheitsschädlichen Ernährung. Wenden Sie sich der Vollwertkost zu, und vermeiden Sie große Ernährungssünden. Naschen Sie nicht zuviel, und meiden Sie Süßigkeiten vor allem dann, wenn sie aus weißem Industriezucker zubereitet sind. Ihre Nieren könnten eines Tages dadurch zu sehr belastet sein. Süßen Sie doch besser mit braunem Rohrzucker, mit Honig oder mit Birnendicksaft. Außerdem können durch falsche Ernährung bei Ihnen gravierende Hautprobleme entstehen. Durch einen entsprechenden Jungfrau-Einfluß in Ihrer ersten Waage-Dekade sind auch Ihre Füße gesundheitlich gefährdet und sollten nicht überfordert werden. Und Ihre Nerven sind nicht für Überbelastungen geschaffen. Recht anfällig sind Sie auch für Kopfschmerzen. Daher immer den Kopf in der kalten Jahreszeit warm halten, vor Zugluft schützen, und im Winter nicht ohne Kopfbedeckkung ins Freie gehen. Auch rheumatische Beschwerden können Sie im fortgeschrittenen Alter quälen. Daher niemals feuchte oder nasse Kleidung anbehalten.

Schneller als Sie glauben handeln Sie sich eine Erkältungskrankheit ein. Böse Folgen sind oft Bronchitis und lange Hustenanfälle. Härten Sie sich mit Kneipp-Kuren und Sauna-Besuchen ab. Reden Sie vorher aber mit Ihrem Arzt darüber. Sehr zu empfehlen ist Ihnen auch autogenes Training und Yoga. Meiden Sie Lärm. Er kann auf die Dauer Ihre Gesundheit sehr beeinträchtigen. Wenn Sie einmal krank sind und im Bett liegen müssen, brauchen Sie Menschen um sich, die Sie aufheitern. Auch Ihr Arzt muß Sie psychologisch betreuen. Verlieren Sie nicht die Geduld. Nörgeln Sie an jenen, die Sie pflegen, nicht herum. Sie müssen viel schlafen, um rasch gesund zu werden. Durch einen gewissen Jungfrau-Einfluß in Ihrer ersten Waage-Dekade neigen Sie dazu, manchmal zuviele Medikamente und Vitaminpräparate einzunehmen. Reden Sie vorher lieber mit dem Arzt.

Tips für Freizeit und Urlaub

Sie brauchen unbedingt jemand, der mit Ihnen Freizeit und Urlaub genau plant und vor allem rechtzeitig mit der Organisation beginnt. Für Sie ist es ganz gefährlich, wenn Sie einer spontanen Eingebung folgen und verreisen. Das gibt Ärger. Wenn Sie allein planen, so kommen Sie vor lauter Überlegen nicht aus dem Haus. Sie können sich nicht entscheiden, wohin Sie eigentlich wollen. Auf Grund eines gewissen Jungfrau-Einflusses in Ihrer ersten Dekade träumen Sie von einer Weltreise, die Sie auch unbedingt einmal in Ihrem Leben machen sollten. Vielleicht sogar auf einem Luxusschiff, denn Sie reisen gern komfortabel. Sie wollen in den Ferien nicht besonders aufs Geld schauen. Sonst bleiben Sie lieber gleich zu Hause. Sie müssen bei der Wahl des Urlaubszieles sehr vorsichtig sein. Sie wollen dorthin, wo es viele Menschen gibt, wo Sie eine Menge erleben können. Doch Sie sollten sich auch zu einer richtigen Erholung zwingen. Sie müssen faulenzen, um neue Kräfte zu tanken. Lassen Sie lieber die Finger von einem Urlaubsflirt. Er wird Ihnen vermutlich nach den Ferien nur furchtbar viel Kummer und Kopfzerbrechen bereiten. Ganz besonders müssen Sie auf Ihr Verhalten gegenüber Ihrem Ferienpartner achten. Lassen Sie sich nicht ununterbrochen von ihm bedienen. Das bringt mit der Zeit Konflikte. Wenn Ihnen unangenehme Dinge widerfahren, so verfallen Sie nicht in ununterbrochenes Nörgeln und Kritisieren, weil Sie sich sonst selbst die ganze Ferienfreude verderben. Überlegen Sie, ob Sie nicht den Urlaub mit einer Gesundheitskur verbinden sollten.

Wenn Sie ein Kind haben

Als Waage-Geborener der ersten Dekade neigen Sie mitunter dazu, ein wenig zuviel an Ihrem Kind herumzukritisieren. Damit hemmen Sie die kreativen Aktivitäten des Sprößlings. Sonst aber bringen Sie zum Erziehen gute Voraussetzungen mit. Beschäftigen Sie sich viel mit dem Kind. Im Spiel werden Charakter und Geist am besten entwickelt. Nur sollten Sie den Nachwuchs nicht immer zu großzügig behandeln und als Kameraden einstufen. Das Kind nimmt sich sonst bald zuviel heraus. Überschütten Sie den Sprößling nicht mit Geschenken. Wohldosierte machen ihm mehr Spaß und verwöhnen ihn nicht. Durch einen deutlichen Jungfrau-Einfluß gelingt es Ihnen in Ihrer ersten Waage-Dekade, Ihrem Kind sehr rasch Sauberkeit, Ordnung und Pünktlichkeit beizubringen. Und geben Sie dem Kind mehr Möglichkeiten für Hautkontakt und Streicheleinheiten.

Wenn du ein Waage-Kind bist

Wenn du noch ein Kind bist, das im Zeichen der Waage in der ersten Dekade geboren ist, dann haßt du Verbote und magst es lieber, wenn die Eltern alles ganz genau begründen. Wenn du den Sachverhalt verstanden hast und einsiehst, dann hältst du dich gern an Weisungen. Du brauchst sehr viel Liebe, solltest aber auch selbst zu den anderen etwas netter sein. Du brauchst deine Eltern sehr. Sie müssen dich in deiner Unschlüssigkeit beraten und dir auch helfen, deine Willenskraft zu stärken. Allerdings solltest du nicht launenhaft sein.

Die Geburtstagsfeier

*Viele Anregungen und ein köstliches
Geburtstagsmenü*

Feiern Sie an Ihrem Geburtstag doch einmal wieder richtig. Zum einen macht es Spaß, einmal im Jahr die Hauptperson zu sein, zum anderen können Sie sich Freunde einladen, die Sie gerne um sich haben.

Ihre Einladung kann ganz unterschiedlich ausfallen, je nach dem Rahmen, den Sie für Ihr Fest wünschen. Wenn Sie sich für eine Einladungskarte entschließen, so sollte darauf zu lesen sein: Der Anlaß der Feier (z. B. Geburtstagspicknick, -gartenfest, -grillparty etc.), das Datum, die Uhrzeit, zu der Sie beginnen möchten, Ihre genaue Adresse oder die Anschrift, wo gefeiert wird, Ihre Telefonnummer sowie die Bitte um Nachricht, ob der oder die Eingeladene kommen wird.

Am besten legen Sie Ihr Fest auf das Wochenende oder vor einen Feiertag. Dann kann jeder am folgenden Tag ausschlafen.

Zum organisatorischen Ablauf: Anhand der Anzahl der geladenen Gäste prüfen Sie, ob Sie genügend Gläser, Bestecke, Sitzgelegenheiten und Getränke haben. Sorgen Sie auch für die passende Musik. Lassen Sie sich bei den Vorbereitungen von hilfsbereiten Freunden helfen.

Als Anregung für Ihre Geburtstagsfeier hier einige nicht ganz gewöhnliche Vorschläge:

Der Kaffee-Klatsch

Sie veranstalten einen richtigen altmodischen Kaffee-Klatsch am Nachmittag, laden alle Ihre lieben Freundinnen ein und bitten jede, einen eigenen Kuchen oder Plätzchen zur Bereicherung der Kaffeetafel mitzubringen. Dazu lassen Sie sich eine wunderschöne Tischdekoration einfallen, bieten vielleicht Irish Coffee und Russische Schokolade (mit Schuß!) an, und ganz bestimmt gehen Ihnen die Gesprächsthemen nicht aus.

Die Bottle-Party

Oder – der Gerechtigkeit halber – eine männliche Variante: Sie trommeln Ihre besten Freunde und Kumpel zusammen und geben eine ebenso altmodische Bottle-Party, zu der jeder, der mag, ein Getränk beisteuert. Als »Unterlage« vielleicht etwas Käsegebäck oder deftige Schmalzbrote. Das wird sicher eine Geburtstagsfeier, an die jeder gerne zurückdenken wird.

Die Cocktail-Party

Sie veranstalten eine Cocktail-Party mit möglichst vielen Freunden und lassen die wilden Jahre (die bei den meisten im Alter zwischen 20 und 30 Jahren stattfinden – bei manchen enden sie nie...) wieder auf- und hochleben. Dazu sollte die Musik sorgfältig ausgewählt werden. Vielleicht sogar Charleston à la 20er Jahre vom Grammophon? Ein geübter Barmixer findet sich bestimmt unter Ihren Freunden. Da wahrscheinlich wild getanzt wird, brauchen wir viel Platz zum Tanzen. Eine feinsinnige Tischordnung entfällt.

Der Spezialitäten-Abend

Wir laden eine kleinere Runde zu einem fremdländischen Menü ein. Die Frage, ob Italienisch, Französisch, Chinesisch, Mexikanisch... lösen Sie ganz nach Ihrem Geschmack. Servieren Sie mehrere Gänge und die dazu passenden Getränke. Viele Kerzen und leise Musik machen das Ganze stimmungsvoll.

Die Picknick-Fete

In der wärmeren Jahreszeit machen eine »Picknick-Radel-Tour« oder auch ein »Geburtstags-Spaziergang« sicher allen Spaß. Diese Möglichkeit bietet sich insbesondere auch an, wenn Gäste ihre Kinder mitbringen wollen. An einem Fluß, auf einer Wiese oder in einem Park wird dann Rast gemacht und im Freien geschmaust.

Das herbstliche Pendant dazu wäre ein »Kartoffelfeuer-Picknick«. Die neuen Kartoffeln werden im Lagerfeuer gegart. Das macht Spaß und schmeckt ausgezeichnet. Im Winter können Sie die Möglichkeit eines »Schneespaziergangs« im Winterwald oder eine »Schlittenfahrt« in Erwägung ziehen, die dann bei einem Punsch zum Aufwärmen und einer rustikalen Brotzeit enden.

Das Grill-Fest

Beliebt und unkompliziert. Benötigt wird nur: Ein Fäßchen Bier, eine Riesensalatschüssel, Würstchen und verschiedene Fleischsorten zur Bewirtung der Gäste, ein offener Grill, um den sich die Hungrigen scharen. Dieses Fest ist rustikal und eignet sich vorzüglich für den Garten oder auch für ein Fluß- oder Seeufer.

Die Keller-Party

Für dieses Fest sollten Sie – dem Publikum entsprechend– eine gute Musik-Auswahl treffen und für eine nicht zu kleine Tanzfläche und Sitzgelegenheiten am Rande sorgen. Ein paar kleine Leckereien und die Getränke-Auswahl bauen Sie am besten im Vorraum, im Flur oder in der Küche auf. Keine teuren Gläser, keine komplizierten Menüs. Jeder bedient sich selbst. Diese Feste sind meist recht lustig und ungezwungen.

Der Kindergeburtstag

Ein Kindergeburtstag mit viel Kuchen und Schokolade ist immer ein Erfolg. Wenn dann anschließend noch Spiele gemacht werden, bei denen hübsche Kleinigkeiten zu gewinnen sind, dürfte die Begeisterung groß sein.

Der Brunch

Das ist eine Erfindung der Engländer, erfreut sich aber auch hier wachsender Beliebtheit. Gemeint ist ein Frühstück, was sich über den ganzen Tag erstrecken kann und aus süßen und salzigen Schlemmereien – warm und kalt –, mehreren Sorten Brot, Kaffee, Tee, Saft, Sekt besteht.

Noch einige Tips zum Schluß: Übernehmen Sie sich nicht bei der Dekoration. Sie ist am nächsten Tag nicht mehr brauchbar. Zwingen Sie niemanden, Dinge zu tun, die er wirklich nicht möchte. Dazu gehört auch das Tanzen. Aber stellen sie vielleicht Pinsel, Farben und Leinwand für spontane Aktionen zur Verfügung. So entstehen manchmal Kunstwerke, die allen Beteiligten Spaß machen.

Das Geburtstagsmenü zum 26. September

Zur Krönung des Geburtstages gehören ein gutes Essen und ein süffiger Tropfen. Vielleicht verwöhnen Sie sich an diesem Tag mit Ihrem Leibgericht oder speisen in Ihrem Lieblingslokal. Vielleicht lassen Sie sich aber auch einmal mit etwas Neuem überraschen und probieren dieses speziell für Ihren Tag zusammengestellte Menü. Gutes Gelingen und guten Appetit!

*

Feldsalat Geisha

250 g Feldsalat, 1 kl. Dose Mandarinen, 1 Sahnejoghurt, 1 El Mayonnaise, 1 Tl Zitronensaft, $^1/_2$ Tl Senf, je 1 El Dill, Petersilie und Schnittlauch

Die gewaschenen Salatblätter mit den Mandarinenspalten vermischen. Aus den restlichen Zutaten eine Salatsauce rühren und über den Feldsalat verteilen.

Zwiebelkartoffeln

500 g Zwiebeln in dicke Scheiben schneiden, 50 g Butter, 750 g Kartoffeln in 2 cm große Würfel schneiden, Salz, weißer Pfeffer, $^1/_8$ l heiße Fleischbrühe, 1 Bund Schnittlauch feinschneiden

Zwiebelscheiben in heißer Butter 10 Minuten anbraten, Kartoffeln dazugeben und mit den Zwiebeln vermischen, salzen und pfeffern, Brühe angießen und zugedeckt zum Kochen bringen, Hitze reduzieren und 30 Minuten garen, abschmecken. Zwiebelkartoffeln in eine vorgewärmte Schüssel füllen und mit Schnittlauch bestreut sofort servieren.

Jäger-Eintopf

500 g Rindfleisch würfeln, 50 g Fett, 3 große Zwiebeln in Ringe
schneiden, 1/2 l Fleischbrühe, Salz, Pfeffer, 500 g Kartoffeln
in Scheiben schneiden, 250 g Pfifferlinge putzen, 500 g Maronen
oder Steinpilze, 1 Tl Kümmel, 1 Bund Petersilie

Fleisch und Zwiebeln in heißem Fett anbraten. Mit Fleischbrühe auffüllen und würzen. Bei zugedecktem Topf 1 Stunde
schmoren. Nach 30 Minuten Kartoffeln dazugeben, 15 Minuten
später die Pilze. Würzen und mit Petersilie bestreuen. Semmel-
knödel und Salat dazu reichen.

Brombeer-Apfel-Dessert

125 g Butter, 500 g Kochäpfel geschält, entkernt und in Scheiben
geschnitten, 250 g Brombeeren, 75 g brauner Zucker,
125 g Semmelbrösel

25 g Butter in einem Topf schmelzen. Äpfel, Brombeeren und
25 g Zucker zufügen. Zugedeckt, nicht zu weich dämpfen. Rest-
liche Butter in einer Pfanne zerlassen. Semmelbrösel goldbraun
rösten. Abkühlen und mit restlichem Zucker mischen. Die
Hälfte der Früchte auf 4 Gläser verteilen und mit der Hälfte der
Brösel bedecken. Wiederholen. Gut gekühlt mit Schlagsahne
servieren.

Glückwunschgeschichte
zum 26. September

Liebes Geburtstagskind,

die gerade laufende Europapokalsaison unterstreicht es wieder einmal: Fußballspieler sollten möglichst viele Fremdsprachen beherrschen. Sie müßten die fremden Idiome nicht gerade herunterschnurren können, aber von ihnen doch so viel wissen wie etwa von internationalen Eishockeyschiedsrichtern verlangt wird. Die müssen die Kenntnis von mindestens 50 Wörtern Pidgin-Englisch nachweisen. Das ist eine Sprache, die man etwa mit der von Herbert Wehner vergleichen könnte.

Warum Fußballer Fremdsprachen können sollen, liegt doch auf der Hand: Um Kriegslisten der europäischen Gegner in den lebenswichtigen Pokalspielen zu durchschauen. Da sind die Anweisungen der Trainer vom Spielfeldrand, aber auch taktische Varianten der Spieler untereinander. Hätten die Spieler des FC Bayern zum Beispiel damals in St. Etienne die französische Sprache beherrscht, es wäre nie zu jener Katastrophe gekommen. Der Trainer schreit zum Beispiel in leicht verknittertem Italienisch: »Fruttadimare, du bleibst jetzt nicht mehr hinten, sondern marschierst bei jedem Angriff als freier Verteidiger rechts auf dem Flügel mit.« Eine sprachlich einseitige Mannschaft wird von einer solchen Maßnahme völlig überrascht, und Fruttadimare haut ihr in 20 Minuten zwei Dinger rein. Gäbe es aber einen in der Mannschaft, der sich einigermaßen im Mailänder Slang auskennt, würde Fruttadimare bald ungläubig staunen, weil ihm der Huber nicht mehr von den Zehen runtergeht.

Ganz ähnlich verläuft auch das Geschehen bei einem Freistoß in Tornähe. Die Schotten hecken einen raffinierten Plan aus. Smith springt links über das Leder, Jones rechts, McKenzie tippt die Kugel mit dem Absatz an, Peters schneidet sie durch die Gasse in den freien Raum, wo Abbot sie mutterseelenallein aufnimmt und elegant ins Netz befördert. Dies könnten die Schotten aber nur mit einem einsprachigen Gegner machen. Der Spezialist für Glasgower Altstadtdialekt würde sich rechtzeitig in Hörnähe der Freistoßplaner herumtreiben, die natürlich keine Ahnung haben, daß er ihr Genuschel versteht. Aber dann wundert sich Abbot maßlos, warum ihn der Schiedsrichter des Abseits beschuldigt.

Diese Art der Vorbereitung auf internationale Spiele sollte für Spitzenmannschaften alltäglich werden. Natürlich genügt es nicht, einen Spieler ein Jahr lang in Oxford studieren oder einen anderen von einem Professor der Académie Française unterrichten zu lassen, denn diese Sprachen spricht ein Fußballer ebensowenig wie fließend Altlatein. Nein, man muß den gegnerischen Völkern aufs Maul schauen, und die Sprachen lernen, die im Hafen von Liverpool, in den Pariser Markthallen, in Kneipen von Kiew oder auf der Hohen Warte in Wien gesprochen werden. Deshalb tat sich ja der Beckenbauer auch so schwer, weil seine Gegner ein ganz anderes Englisch sprachen, als er in seinen Schulen gelernt hat.

Kein Engländer, Ungar oder Sowjetrusse, der stolz auf seine Deutschkenntnisse ist, würde kapieren, was im Kölschen Platt, beim hessischen Babbeln oder auf Boarisch an taktischen Tricks ausgeknobelt wird. Spitzenmannschaften sollten praktisch alle Stammspieler in einer lebendigen Fremdsprache ausbilden lassen, um gegen jeden Gegner gewappnet zu sein. Die Zeit vom Auslosen der Europacupspiele bis zum Kampf auf dem Platz ist dafür bestimmt zu kurz, und man weiß ja nie, wen man bekommt. Cypriotisch, Dänisch, Maltesisch oder Luxemburgisch könnte man zur Not vergessen, aber für Italienisch, Spanisch, Portugiesisch, Französisch, Englisch, Schottisch, Irisch, Russisch, Tschechisch, Ungarisch, Jugoslawisch sowie für einige österreichische Dialekte und möglicherweise für Mundarten aus Mitteldeutschland sollte in jeder bundesdeutschen Spitzenmannschaft ein Experte vorhanden sein.

Auch der Fußball bleibt nicht in seiner Entwicklung stehen, wird immer wissenschaftlicher betrieben, was zum Beispiel Dettmar Cramer jedem wortreich bestätigen wird. Zur umfassenden Ausbildung eines Fußballspielers sollte also auch eine derartige Bildung gehören. Obendrein hat er was für das Leben davon, denn er wird doch hoffentlich nicht nur die ausländischen Schimpfwörter im Gedächtnis behalten.

Alles Gute zum 26. September
Hansjürgen Jendral

Zitate und Lebensweisheiten

Jeder Mann ist ein Löwe in seiner eigenen Sache.

Aus Großbritannien

Ich fürchte nichts, weil ich nichts habe.

Martin Luther

Der Sonne und dem Tode
kann man nicht unverwandt ins Antlitz schauen.

La Rochefoucauld

Der entschließt sich doch gleich,
den heiß ich brav und kühn!
Er springt in den Teich,
dem Regen zu entfliehn.

Johann Wolfgang von Goethe

Was man will tun,
das soll man, wenn man will;
denn dies »will« ändert sich
und hat so mancherlei Verzug und Schwächung.

William Shakespeare

Kommt Zeit – kommt Rat!   *Altes Sprichwort*

Die Wahrheit triumphiert nie,
ihre Gegner sterben nur aus. *Max Planck*

Ein Scherz hat oft gefruchtet,
wo der Ernst nur Widerstand hervorzurufen pflegte.
August von Platen

Mit Gold und Purpur kauft der Liebende
sich seines Mädchens Herz. *Plautus*

Nach uns die Sintflut!
Marquise de Pompadour

Herr, es ist Zeit. Der Sommer war sehr groß.
Leg deinen Schatten auf die Sonnenuhren,
und auf den Fluren laß die Winde los.
Rainer Maria Rilke

Für den Heroismus von wenigen
ist das Elend von Millionen zu teuer.
Erich Maria Remarque

Ich möchte lieber paradox
als mit Vorurteilen behaftet sein.
Jean-Jacques Rousseau

Wer einmal lügt,
muß oft zu Lügen sich gewöhnen;
denn sieben Lügen braucht's,
um eine zu beschönen.

Friedrich Rückert

Man muß die Zukunft abwarten
und die Gegenwart genießen oder ertragen.

Wilhelm von Humboldt

Auch in der Ferne zeigt sich alles reiner,
was in der Gegenwart uns nur verwirrt.

Johann Wolfgang von Goethe

Ein Geheimnis ist wie ein Loch im Gewande:
Je mehr man es zu verbergen sucht,
um so mehr zeigt man es.   *Carmen Sylva*

Der Geist hat seine ewigen Rechte;
er läßt sich nicht eindämmen durch Satzungen.

Heinrich Heine

Auch selbst des kühnsten Geistes Flug ermattet,
wenn ihm zur Tat die ird'schen Mittel fehlen.

Ernst Raupach

Du sprichst ein großes Wort gelassen aus.

Johann Wolfgang von Goethe

Geld mag Glück nicht kaufen können, aber du kannst
damit in Bequemlichkeit unglücklich sein.

Michael Arlen

Für Geld und gute Worte kann man alles haben.

Altes Sprichwort

Dem ist ein Licht aufgegangen.   *Nach der Bibel*

Frauenzimmer sind einander viel ähnlicher
als Männer.
Sie haben in Wahrheit nur zwei Leidenschaften:
Eitelkeit und Liebe.

Philip Earl of Chesterfield

Eine Frau soll aussehen wie ein junges Mädchen,
auftreten wie eine Lady, denken wie ein Mann
und arbeiten wie ein Pferd.

Caroline K. Simon

In den großen Dingen zeigen sich die Menschen,
wie es ihnen zukommt, sich zu zeigen.
In den kleinen zeigen sie sich, wie sie sind.

Nicolas de Chamfort

Zwischen Gelingen und Mißlingen, in Streit,
Anstrengung und Sieg bildet sich der Charakter.

Leopold von Ranke

Alle Fehler, die man hat,
sind verzeihlicher als die Mittel,
welche man anwendet, um sie zu verbergen.

La Rochefoucauld

Die Heiligen des Tages
Geschichte und Legende

Kosmas und Damian
Märtyrer

Über das Leben der Heiligen Kosmas und Damian gibt es nur wenige wahrheitsgetreue Lebensdaten; die meisten Überlieferungen sind Legende. Demnach waren Kosmas und Damian Zwillingsbrüder, die in ihrer Heimat in Syrien als vielgefragte Ärzte tätig waren. Von Kindheit an überzeugte Christen, war es ihnen eine Selbstverständlichkeit, die Kranken, die meist sehr arm waren, unentgeltlich zu behandeln. Das Leben jener Zeit war überschattet von den Christenverfolgungen Kaiser Diokletians. Nachdem sehr bald bekannt geworden war, daß die Brüder Kosmas und Damian während ihrer Behandlungen auch versuchten, ihre Patienten zum Christentum zu bekehren, wurden sie vom Präfekten Lysias festgenommen. Auf seine Frage, wer sie seien, antworteten sie mutig: »Wir entstammen einem edlen Geschlecht Arabiens und sind Ärzte. Wir heilen die Kranken aber weniger durch unsere Wissenschaft, als im Namen und durch die Kraft Jesu Christi.«

Der wütende Lysias ließ Kosmas und Damian daraufhin foltern und befahl ihnen, den Götzen zu opfern. Nach ihrer Weigerung seien sie – so berichtet es die Legende – gefesselt ins Meer geworfen, jedoch wie durch ein Wunder wieder lebend ans Ufer gespült worden. Nach weiteren vergeblichen Tötungsversuchen der Soldaten Kaiser Diokletians soll das Brüderpaar schließlich um das Jahr 304 durch das Schwert getötet worden sein. Andere Legenden berichten auch vom Tod durch Enthaupten. Über den genauen Ort der Hinrichtung gehen die Meinungen auseinander.

Bereits im fünften Jahrhundert entstand ein Verehrungskult um das Märtyrer-Brüderpaar. Viele Kirchen wurden zu Ehren von Kosmas und Damian errichtet. Die beiden Heiligen wurden auch in den Kanon der Heiligen Messe aufgenommen. Im Mittelalter griff die Verehrung der beiden Heiligen besonders auf die Hansestädte über, wo man die beiden Ärzte immer wieder als Schutzpatrone bei Seuchen anrief.

Um die Mitte des neunten Jahrhunderts brachte Bischof Altfrid von Hildesheim Reliquien der beiden Märtyrer nach Essen und Hildesheim. Rund 100 Jahre später kamen weitere Reliquien nach Bremen und um das Jahr 1400 nach München, wo sie seit 1649 in St. Michael aufbewahrt werden.

Kosmas und Damian, die als junge Ärzte mit medizinischen Gegenständen dargestellt werden, wie Arzneibüchse, Salbenspatel und Mörser, werden von Ärzten, Apothekern, Drogisten, Chirurgen, Ammen und auch von Friseuren als Schutzpatrone angerufen.

Persönlicher,
immerwährender Kalender

FÜR EWIG

Denn was der Mensch in seinen Erdeschranken
Von hohem Glück mit Götternamen nennt,
Die Harmonie der Treue, die kein Wanken,
Der Freundschaft, die nicht Zweifelsorge kennt;
Das Licht, das Weisen nur zu einsamen Gedanken,
Das Dichtern nur in schönen Bildern brennt,
Das hatt ich all in meinen besten Stunden
In ihr entdeckt und es für mich gefunden.

Johann Wolfgang von Goethe

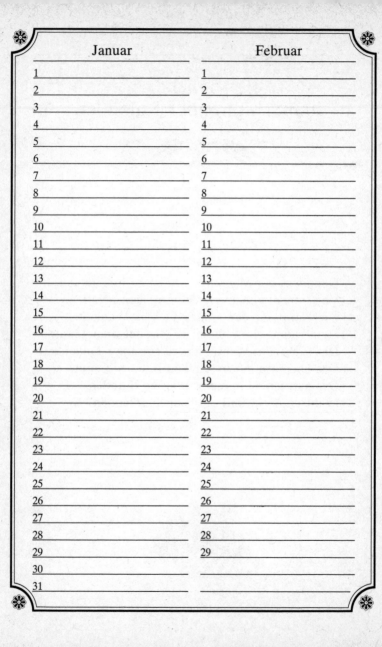

Januar	Februar
1	1
2	2
3	3
4	4
5	5
6	6
7	7
8	8
9	9
10	10
11	11
12	12
13	13
14	14
15	15
16	16
17	17
18	18
19	19
20	20
21	21
22	22
23	23
24	24
25	25
26	26
27	27
28	28
29	29
30	
31	

März	April
1	1
2	2
3	3
4	4
5	5
6	6
7	7
8	8
9	9
10	10
11	11
12	12
13	13
14	14
15	15
16	16
17	17
18	18
19	19
20	20
21	21
22	22
23	23
24	24
25	25
26	26
27	27
28	28
29	29
30	30
31	

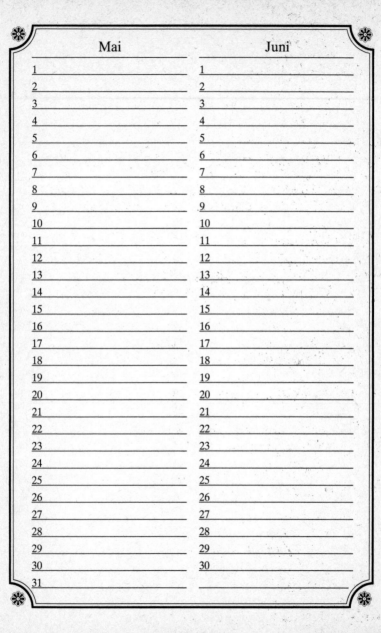

Mai	Juni
1	1
2	2
3	3
4	4
5	5
6	6
7	7
8	8
9	9
10	10
11	11
12	12
13	13
14	14
15	15
16	16
17	17
18	18
19	19
20	20
21	21
22	22
23	23
24	24
25	25
26	26
27	27
28	28
29	29
30	30
31	

Juli	August
1	1
2	2
3	3
4	4
5	5
6	6
7	7
8	8
9	9
10	10
11	11
12	12
13	13
14	14
15	15
16	16
17	17
18	18
19	19
20	20
21	21
22	22
23	23
24	24
25	25
26	26
27	27
28	28
29	29
30	30
31	31

September

1
2
3
4
5
6
7
8
9
10
11
12
13
14
15
16
17
18
19
20
21
22
23
24
25
26
27
28
29
30

Oktober

1
2
3
4
5
6
7
8
9
10
11
12
13
14
15
16
17
18
19
20
21
22
23
24
25
26
27
28
29
30
31